Aida Lugo McAllister

AIDA'S KITCHEN A LO BORICUA

www.aidaskitchenboricua.com

AIDA'S KITCHEN
A LO BORICUA

Bilingual Puerto Rican Cookbook
42 Classic and Contemporary Puerto Rican Favorites

Aida Lugo McAllister

Food Photography by Aida Lugo McAllister
Cover Photography and Author Photography by Aspen Studios

Corporate Graphics
1750 Northway Drive
North Mankato, MN 56003

Book Design: JWM Marketing & Web Design, Inc. - Jared McCart (www.jwmmarketing.com)
Cover Photo: Aspen Studios (www.aspenstudios.net)
Food Photography: Aida Lugo McAllister
Photographs of Puerto Rico courtesy of Lirsa Pabón

Manufactured in the United States of America

10   9   8   7   6   5   4   3   2   1

Library of Congress Cataloging-in-Publication Data

ISBN: 978-0-9896213-0-4

DEDICATION

This book is dedicated to my late father, Vicente Lugo Lozada, who passed away several months before completing this cookbook. I will always love you and will forever cherish our time together.

This book is also dedicated to my late uncle, Agripino Lugo Lozada, who raised me in Puerto Rico and treated me like a daughter. He was my favorite uncle and we shared many trips together in the island of Puerto Rico.

CONTENTS

INTRODUCTION

They say the way to a man's heart is through his stomach - is that really true? Continue reading to find out. Most of the recipes in this cookbook are prepared to create a much healthier version of Puerto Rican cookery. If the recipes in this cookbook contain similarities to any other recipes, it is merely a coincidence.

I decided to take the pictures of each recipe to depict exactly how the food is served on a plate in a Puerto Rican home. For example, the beans are served either on top of the rice or next to the rice. The food presentation is where I chose to use colorful plates and place mats that appeal to the eye.

I recommend preparing some portions of the recipe in advance to reduce the preparation time when making your favorite dish. For example, the root vegetables can be peeled, cut into chunks (according to the recipes) and placed in the freezer in vacuum seal bags for future use. When I want to cook viandas or sancocho, I just take a bag from the freezer and prepare my dish. I eliminate the peeling and the cutting process of the root vegetables. If it can be frozen, I will freeze it. I freeze two different types of pumpkin: North American and Caribbean West Indian. When I want to make a homemade pumpkin pie, I remove from the freezer a plastic container with mashed pumpkin. If I want stewed beans, I remove from the freezer a plastic bag containing Caribbean pumpkin already peeled and cut into chunks. These freezer bags or containers are also dated based on the exact day the food was placed in the freezer.

I was introduced to cooking at the age of 12. My mother started working so that I could attend college once I graduated from high school. My dad thought it was the best opportunity for me to start learning how to cook – especially when we were expected to get married at a young age. I prepared dinner every day at home until I graduated from high school. Since I was not allowed to date, cooking became my passion.

When I was 9 years old, my mother would take me to the library every week and I would pick up several books to read (I love to read). One day I brought home a cookbook for children. I prepared a tomato stuffed with tuna and made a peach pie. My dad ate rice and beans every day like the true Puerto Rican that he was – he barely ate American food. When I presented him with the stuffed tomato, he ate it and told me it was very good. Several weeks later, my mom told me, as we walked to the library, your dad told me if you get a cookbook again make sure it's a cookbook to prepare just desserts. He was such a good dad. Even though he did not like the stuffed tomato, he still ate it because I made it for him.

After graduating from high school, I decided to move to Puerto Rico. I wanted to learn about our culture and customs. I started working for an oil refinery in Yabucoa, Puerto Rico. I was fortunate to live with my family who were highly educated and world travelers. We traveled the whole island of Puerto Rico and visited every town. I fell in love with nature and especially the food. When I had my first pasteles in Puerto Rico, I was surprised that it was prepared with raisins and wrapped in a plantain leaf. I grew up in Indiana with pasteles prepared without raisins and wrapped in aluminum foil. There is a big difference in flavor and texture. After living in Puerto Rico, I discovered that some of our meals prepared in Indiana were not similar to the authentic Puerto Rican cookery. This was due largely to the lack of Latin produce available during the 1950's through 1970's in Indiana. Today we have many Latin markets because of the growing Latin population and better modes of transportation.

After working for one full year, I decided to enroll full time at the University of Puerto Rico and graduated with a Bachelor's Degree in Business Education. During the school breaks between semesters, I traveled the entire Island and the neighboring Caribbean islands, including South America. When I stayed at the Dominican Republic for five days, I was happy that they had fried plantains and served rice with shrimp (one of my favorites). I felt like I was dining at home in Puerto Rico. What I enjoyed most every morning was a juice made with a fresh fruit of my choice mixed with milk in a blender. That was awesome! My choice of fruit was papaya. It was amazing to see the exact fruits and vegetables you consume in Puerto Rico be prepared differently in other islands.

I moved back to Indiana and was employed as a high school teacher. I constantly invited friends and family over for an authentic Puerto Rican meal. I started purchasing many cookbooks and learned how to cook Chinese, Italian, Greek and American. I finally was approached by a young man and got married at age 23. I was thrilled to cook for my husband - especially since he was Puerto Rican. You have to understand that I was not allowed to date in high school and I never had the opportunity to date any college students in Puerto Rico - no one asked me out on a date. I remember my cousin always telling me in Puerto Rico that the way to a man's heart is through his stomach. I actually thought that was part of our culture.

I enrolled in the Master's Degree program at Indiana University. I was also working full time. I was still able to cook homemade dinners every day. My husband, however, was very indifferent about my cooking. I kept on hearing my cousin's voice - "the way to a man's heart is through his stomach." Therefore, I even baked homemade bread to please my husband. I felt so disappointed. Needless to say the marriage only lasted two years. I promised myself I would never marry again.

When I completed my Master's Degree, I took classes in cooking, stained glass and quilting. I did not pass the stained glass nor the quilting classes. In fact, I was the only student in the stained glass class that did not have all of the glass pieces cut. I do not have the skill to cut glass but I respect the artwork of a stained glass creation.

The instructors of my cooking classes were chefs from local restaurants. I traveled to Europe, Canada, Mexico and most of the United States with my friends to learn about the different cultures and cuisines. When I was in Italy, I ordered a pizza. I wanted the experience of having a real pizza in Italy. The dough was shaped into a 7-inch circle. A tomato-based sauce was spread on top of the dough with cheese. I initially expected a pizza with all the toppings like it is prepared in the United States. The gentleman informed me that this is how pizza was served in Italy. In fact, I was thrilled that I was eating an authentic pizza in Italy. It was very simple but tasty. This is why I love traveling because you learn about different customs, cultures and cuisines.

I accepted an offer of employment at a pharmaceutical manufacturing company in Puerto Rico. Since most of my college friends were married with children, I returned to Indiana and continued to cook for my friends and family. I was known as the person who always fed you when you visited my home. My girlfriend, Itsia, once told me that if I had only two cans of food left in my pantry I would still manage to prepare a nice dinner. I always wanted my own restaurant.

I changed my career path and obtained another Bachelor's Degree, this time in Accounting, at

Indiana University. Throughout this period, I wanted to give love another opportunity. Again my cooking was not appreciated and ended several romantic engagements. I vowed never to cook for another man. I wanted to write a cookbook because I was either showing or explaining to my friends how to cook many types of food.

I was working as an accountant for a steel manufacturing company for several years. One night when I was at home, I received a call from a coworker who asked me out on a date. I was 41 years old. I treated him (which I was not aware he was really a gentleman) with an attitude of indifference. If he called and I was available, I would go out. Since he was unaware that I decided never to cook for a man, he thought to himself that I was another woman that was not able to cook. He would wine and dine me and I was enjoying every moment. I noticed he was really interested in me.

One day he asked me over to his house for dinner. After dinner he proposed after two months of dating. As we were taking a walk around the neighborhood, he asked me if June would be a good month to get married and I replied of what year. He said of this year - only 1½ months away. I became frightened. I left him alone on the sidewalk and ran to my car and drove home. I called mom and told her that Henry wanted to marry me after only a few months of knowing him. She told me to call him and say "Yes" and asked why I was so afraid of getting married. She told me that she could tell he was a good man. I called him from home and told him my mom said "Yes." We got married in Las Vegas on June 14th of that year - I almost did not make it to the altar as I was so fearful of marriage.

Once we returned home, I told him that I needed to make a confession. I told him that I knew how to cook and I really enjoyed cooking.

He was pleasantly surprised and confessed that he always wanted to be a chef but chose not to pursue this interest. Instead, he enrolled in the electrical engineering program at Purdue University.

We have been married for 19 years and he is my soul mate. We have traveled all over and tasted all kinds of food. The kitchen is the place where we spend most of our time together. We are constantly looking at cookbooks and trying new recipes. My Irish husband, Henry, enjoys Puerto Rican food. He loves it so much and he knows how to cook most of the food - even pasteles. When we have visitors, he is right there in the kitchen sharing the cooking task as well as serving the food - even the clean up.

In Puerto Rico, they say the way to a man's heart is through his stomach - is that really true? Only if you find the right man.

Breadfruit

SPECIAL INGREDIENTS

Ajíes Dulces (Sweet Peppers - Capsicum Chinense) - are small bright green sweet peppers that grow in Latin American and Caribbean regions. The sweet peppers will turn yellow, orange and red if left on the plant long enough. These sweet peppers slightly resemble the habanero pepper in appearance but are sweet with a unique herbal aroma and flavor. The sweet peppers are used as a condiment to season dishes and are an integral ingredient in making sofrito, a staple in Puerto Rican cooking.

Panapén (Breadfruit) - is cultivated only in the tropical regions such as in the Caribbean, Southeast Asia and the Pacific Islands. The fruit of the tree is large, usually oval in shape and 6 to 8 inches long. The skin is a light green color with possible red brown areas and has an irregular polygon pattern. When ripe the skin may become more yellow in color. The flesh of the breadfruit is very starchy and has a unique aromatic fragrance. The breadfruit is used as a vegetable and is most commonly boiled, although it can also be baked, roasted or fried.

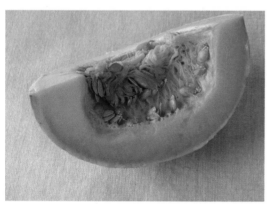

Calabaza (West Indian Pumpkin) - is a round squash that is popular in the Caribbean, Central and South America. The color of the skin can vary and can include green, red, orange and tan hues. The flesh of the calabaza is firm and bright orange with a sweet flavor similar to butternut or acorn squash.

Ñames (Caribbean Yams) - are tropical yams with a relatively thin skin and starchy flesh that are often cooked and used like a potato. In the United States, yams are sometimes confused with the sweet potato, which is not a relative of the true yam. Sweet potatoes have a dark reddish orange skin and a bright orange flesh. The ñame has a dark brown skin with a rough surface and a white or yellow flesh.

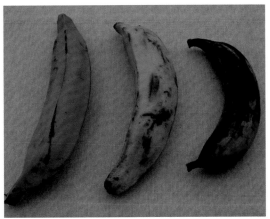

Plátanos (Plantains) - are a member of the banana family but are longer, thicker and much starchier than the familiar banana. The plantain may be prepared and eaten at various stages in its ripeness. The green plantain is very firm and is usually boiled or fried and consumed much like a vegetable. It may also be grated and incorporated as an ingredient in various recipes. The yellow plantain is riper and slightly sweet and may be baked or fried and served as a side dish with meals. When the skin is black but the flesh is still firm, the plantains are very ripe and sweet and may be used in savory and sweet dishes.

Yuca (Yucca) - often referred to as the cassava, is a tuberous root vegetable that usually measures from 2 to 4 inches in diameter and 6 to 12 inches long with tapered ends. The yuca has a dark brown hard rind protecting the firm white starchy flesh that has a stiff cord running lengthwise down the center of the yuca. This starchy root vegetable is boiled and used much like a potato, but may be mashed, fried, stewed or grated to be used as an ingredient in various recipes.

Yautía (Taro Root) - is a tuberous, starchy tropical root vegetable with brown and shaggy skin. It is usually peeled and cooked like a potato and can vary in color from white to yellow and pink.

Culantro/Recao (Coriander) - is a fragrant spice herb that is grown and used widely in the Caribbean, Central and South America and many Asian countries. In the United States, culantro is often confused with cilantro. There is similarity in the scent and flavor of culantro and cilantro, and one may be substituted for the other in cooking, but the culantro has a much stronger flavor.

Seasoning envelope with coriander and annatto - is a special blend of different seasonings (herbs and spices) which is used to add color and flavor to the tropical dishes. The most common ingredients include: **coriander (culantro), annatto (achiote), garlic, salt and cumin**. The seasoning envelopes can be purchased at the Latin markets. If unable to purchase these seasoning envelopes, mix together in a bowl 1 teaspoon of ground coriander, 1 teaspoon of garlic powder, ½ teaspoon of salt (low sodium), ⅛ teaspoon of ground cumin and 4 teaspoons of paprika. When a recipe calls for seasoning envelopes with coriander and annatto as one of the ingredients, add 1½ teaspoons of the mixed ingredients for each envelope.

Produce from a Local Grocer

ANNATTO OIL
(Aceite con Achiote)

Annatto oil is made from annatto seeds, a rusty-red dried seed, from the tropical America tree (Bixa Orellana) and is used to add color to many tropical dishes. My parents' generation used annatto oil for all their dishes that needed coloring. Today we use the seasoning envelopes with coriander and annatto or paprika (a spice) to add color and flavor to some tropical dishes. In this cookbook, the annatto oil is only used when preparing Stuffed Baked Green Plantains (Alcapurrias) and Steamed Root Vegetables with Pork Filling (Pasteles).

2 cups **extra virgin olive oil**   ¾ cup **annatto seeds**

METHOD

STEP 1 In a 1-quart saucepan, heat the olive oil over low heat. Add annatto seeds. Stir well. Cook over low heat for 2 to 3 minutes or until the oil changes into an orange-red color. Do not overheat.

STEP 2 Remove from heat. When slightly cooled, carefully strain oil through a fine-mesh sieve into a medium size bowl. Discard the used annatto seeds.

Makes 2 cups

PURÉED CONDIMENTS
(Sofrito)

Sofrito is a special blend of herbs and vegetables (garlic, onion, ají dulce (sweet pepper), green bell pepper, culantro) sautéed in annatto oil and tomato sauce. We use sofrito to stew rice, beans, meats and soups. It is the basic condiment that gives the Puerto Rican cuisine its unique flavor - especially the ajíes dulces (sweet peppers) and culantro. You can purée the herbs and vegetables in advance and freeze them in plastic containers for future use. If you are unable to find culantro, you can substitute with cilantro.

I grow my own ajíes dulces (sweet peppers), cilantro, culantro and green bell peppers. When I remove the seeds from the ajíes dulces (sweet peppers), I wrap them in a paper towel and place them in a plastic bag. At the end of March, I plant my seeds in several small containers inside the house facing a window that will provide much needed sunlight during the winter months. During Memorial Day weekend, I repot my ajíes dulces (sweet peppers) in several large planters and place them on my back deck. I have enough ajíes dulces (sweet peppers) for the whole year since I freeze them in vacuum seal bags. There is nothing like a homemade meal with fresh ajíes dulces (sweet peppers). Ajíes dulces (sweet peppers) can be purchased at most Latin markets.

When the recipes in this cookbook call for tablespoons of "sofrito" as one of the ingredients, it is referring to the following herbs and vegetables puréed in a food processor.

INGREDIENTS

2 whole **garlic heads**
½ pound **onion**
1 pound **green bell pepper**
½ pound **ajíes dulces** (sweet peppers, see page 12)

40 leaves fresh **culantro** (coriander, see page 14)
  or 2 bunches fresh **cilantro***

2 **plastic containers** with lid

*Use either the culantro or cilantro to make the puréed condiments.

METHOD

STEP 1 Peel the cloves of garlic and the onions. Cut each onion in quarters. Core and cut the green bell peppers into large chunks. Discard the seeds. Cut the ajíes dulces (sweet peppers) in halves and discard the seeds. Trim the stems from the culantro or cilantro. Rinse the garlic, the onions, the green bell peppers, the ajíes dulces (sweet peppers) and the culantro or cilantro leaves.

STEP 2 Purée the onions and the green bell peppers in the food processor. Pour into a large bowl. Purée the garlic, ajíes dulces (sweet peppers) and culantro or cilantro in the food processor. Pour into the same bowl along with the onions and green bell peppers. With a wooden spoon, mix all ingredients until well blended.

STEP 3 Pour puréed condiments in plastic containers. Cover with lid and place in freezer.   Maintain a container in the refrigerator if you cook Puerto Rican food daily.

If you wish to simply make a small quantity of the puréed condiments, a couple of tablespoons for a single recipe, mix together in a small bowl the following ingredients: 1 minced garlic clove, 1 tablespoon chopped onion, 2 tablespoons chopped green pepper, 1 tablespoon chopped ají dulce (sweet pepper) and 2 chopped culantro leaves or 3 chopped cilantro sprigs.

Makes about 40 ounces

SPICED VINEGAR
(Vinagre)

Puerto Rican cuisine is flavorful and has plenty of seasoning without being hot and spicy. We prepare a spicy (hot) vinegar which is placed on the table for those who wish to spice up their food. You only need to add a few drops of the spiced vinegar to the food to give a flavorful heat to the dish.

INGREDIENTS

20 hot **chili peppers**
5 **garlic cloves**, peeled
1 cup **extra virgin olive oil**

½ cup **white vinegar**
¼ teaspoon **oregano** (optional)
1 **glass jar** (16 ounces) with lid

METHOD

STEP 1 It is important to wear gloves when handling hot chili peppers. Rinse the hot chili peppers. Cut 4 to 6 hot chili peppers in halves. Do not remove the seeds because the seeds are what gives the spiced vinegar its hotness. Place the hot chili peppers in the jar and add the garlic, oil, white vinegar and oregano. If you desire the spiced vinegar to be very spicy, cut a few more hot chili peppers.

STEP 2 Cover jar with lid and seal tightly. Shake the jar to mix well all the ingredients. Let stand for 7 to 10 days before using to reach full potency.

STEP 3 Stir the spiced vinegar before using.

Makes about 12-14 ounces

COOKED DRY BEANS
(Habichuelas Secas Cocidas)

I cook many dishes with beans - such as stewed beans, black bean soup, bean burger, bean tostadas, etc. As a child, I seldom ate meat. I learned to eat a lot of seafood on the Island of Puerto Rico. However, I do enjoy my pastelillos and alcapurrias with meat.

I cook a variety of dry beans and freeze them in plastic freezer bags for future use. When I am ready to prepare a meal that calls for beans, they are already cooked and frozen. I do not add salt when I am cooking the dry beans. I will later add the salt based on the dish I am preparing. I was raised consuming very little salt so I barely cook with salt in all my meals. Check out my Chicken Fricassée. It is prepared without salt. When I inform my guests it does not have salt, they can't believe it.

1 pound **dry beans** of your choice (red kidney beans, pinto beans, black beans, etc.)*	3 quart size (32 ounces each) **freezer bags**

*Some dry beans packages have the instructions on how to cook the beans.

METHOD

STEP 1 Rinse and sort beans. Place beans in a large bowl. Pour enough water into bowl to cover beans completely and soak overnight.

STEP 2 Rinse beans and place into a 4-quart saucepan. Add enough water so that the water is 2 inches above the beans. Bring to a boil and reduce heat to medium low. Cover saucepan with lid and cook until the beans are tender, approximately 1 to 1½ hours. Remove lid from saucepan and let cool.

STEP 3 Measure 4 cups of cooked beans with liquid and carefully pour into freezer bags. Seal bags and place in freezer for future use.

Makes about 96 ounces

PUERTO RICAN BEEF STEW
(Sancocho)

The sancocho is very similar to the "beef stew" of the United States. We mainly cook this dish with different root vegetables (viandas) instead of just regular potatoes. In Puerto Rico, this dish is served with green plantain dumplings. I purchase large quantities of root vegetables and freeze them in vacuum seal bags after I peel and cut the root vegetables according to this recipe. Each vacuum seal bag has the exact quantity of root vegetables for the sancocho. When I decide to cook sancocho, I just have to add the condiments because the root vegetables are ready to be cooked.

INGREDIENTS

10 cups **water**
1 tablespoon **salt** (low sodium) or to taste
1 pound **beef stew meat**, cut into 1-inch cubes
1 tablespoon **extra virgin olive oil**
2 seasoning envelopes with **coriander** and **annatto** (see page 14)
3 **garlic cloves**, peeled and minced

2 tablespoons **tomato sauce**
3 **ajíes dulces** (sweet peppers, see page 12), halved and seeded
3 sprigs fresh **cilantro**, chopped
¼ cup **onion**, peeled and chopped
¼ cup **green bell pepper**, cored, seeded and chopped
2 ears **corn**, cut into 1-inch slices

Root Vegetables (Viandas):

½ pound **yautía** (taro root, see page 14), peeled and cut into 1-inch chunks
½ pound **ñame** (Caribbean yam, see page 13), peeled and cut into 1-inch chunks
½ pound **yuca** (cassava, see page 13), peeled and cut into 1-inch chunks*

1 medium **potato**, peeled and cut into 1-inch chunks
1 **green plantain** (see page 13), peeled and cut into 1-inch chunks
4 ounces **calabaza** (West Indian pumpkin, see page 12), peeled, seeded and without strings, cut into 1-inch chunks

Green Plantain Dumplings (Optional):

2 large **green plantains**, peeled
¼ teaspoon **salt** (low sodium) or to taste

2 tablespoons **skim milk**
1 **garlic clove**, peeled and minced

*Remove the fibrous string located in the center of the yuca.

METHOD

STEP 1 Bring to a boil 10 cups of water in a 4-quart saucepan. Add salt and stir well.   Rinse meat and trim excess fat. Add to saucepan. Cover with lid and cook over medium heat for 20 minutes.

STEP 2 Remove lid and add the remaining ingredients *except for the root vegetables and dumplings*. Stir well. Cover with lid and simmer for 5 minutes.

STEP 3 Rinse root vegetables and add to saucepan. Cover saucepan and cook over medium-low heat for 40 minutes or until the root vegetables are tender. When the beef stew is almost ready to be served, prepare the dumplings - if so desired. Grate green plantains, using the super-fine blade of a box grater, into a bowl.   Add salt, milk and garlic. Stir well. Remove lid and place the plantain mixture by tablespoonfuls on top of broth. Cover saucepan and cook over medium-low heat for approximately 7 minutes. Turn dumplings over and cook for an additional 7 minutes or until the dumplings are cooked.

Makes 6 servings

CHICKEN NOODLE SOUP

(Sopa de Pollo con Fideos)

I really enjoy soups - especially chicken noodle soup. When my friends or family have a problem or an illness, here I come with a pot of chicken noodle soup. My friend, Louise, and I worked together in Chicago. She had a minor procedure done at the hospital and I had to pick her up and take her home. The day before, I made chicken noodle soup. I took a train from my house in Indiana to Chicago with the pot of soup. I worked all day and waited for her phone call to let me know she was released from the hospital. I took a taxi to the hospital with my pot of chicken noodle soup and finally took her home. I stayed that night to take care of her and made sure she had the chicken noodle soup for dinner. After 23 years of friendship, one day she called me and I was not feeling well. She took a train from Chicago to Indiana and stayed with me for a few days. When my dad passed away, she came to the wake and we discussed the many trips that chicken noodle soup endured.

INGREDIENTS

14 cups **water**

2 teaspoons **salt** (low sodium) or to taste

3 **chicken breasts**, skinless and boneless

1 large **green bell pepper**, cored, seeded and cut into strips

½ cup **onion**, peeled and chopped

¾ cup **carrot**, cut into ½-inch slices

2 medium **potatoes**, peeled and cut into 1-inch chunks

2 seasoning envelopes with **coriander** and **annatto** (see page 14)

2 **garlic cloves**, peeled and minced

3 sprigs fresh **cilantro**, chopped

4 **ajíes dulces** (sweet peppers, see page 12), halved and seeded

1 tablespoon **tomato sauce**

3 ounces **whole wheat thin spaghetti**

METHOD

STEP 1 In a 4-quart saucepan, bring to a boil 14 cups of water. Add salt and stir well. Rinse chicken breasts and place in saucepan. Cover with lid and cook over medium-low heat for 20 minutes.

STEP 2 Remove chicken breasts from saucepan and cut into medium size pieces. Add the pieces of chicken and the remaining ingredients into the saucepan *except for the spaghetti*. Stir well. Cover saucepan and cook over medium heat for 20 minutes.

STEP 3 Break the spaghetti in half with your hands and place in saucepan. Stir well and cover saucepan. Cook over medium heat for 20 minutes or until the spaghetti, carrots and potatoes are tender.

Serve with bread or double fried plantains (tostones).

Makes 8 servings

SOUPY RICE WITH SHRIMP

(Asopao de Camarones)

Asopao is a soup that is thickened with rice and has a very creamy texture. I find this soup very similar to the risotto or the gumbo. This soupy rice stew is usually prepared with chicken, green pigeon peas or seafood. When I would go to the Luquillo Beach (Puerto Rico) with my friends on weekends, we would cook up a pot of asopao late at night.

INGREDIENTS

½ cup **lean ham**, diced
1 teaspoon **salt** (low sodium) or to taste
10 **pimiento-stuffed green olives**, halved
2 tablespoons **capers**, drained
2 tablespoons **extra virgin olive oil**
2 seasoning envelopes with **coriander** and
   annatto (see page 14)
2 **garlic cloves**, peeled and minced
4 **ajíes dulces** (sweet peppers, see page 12),
   halved and seeded

1 **green bell pepper**, cored, seeded and cut into strips
1 medium **onion**, peeled and chopped
2 tablespoons **tomato sauce**
3 sprigs fresh **cilantro**, chopped
2 **bay leaves**
1 can (8.5 ounces) **green peas**, drained
1 pound large **shrimp**, peeled, deveined, tails on
6 cups **water**
1 cup **long-grain white rice**

METHOD

STEP 1 In a 4-quart saucepan, add the ingredients *except for the shrimp, water and rice.* Sauté over low heat for 10 minutes, stirring occasionally with a wooden spoon.

STEP 2 Rinse shrimp. Place in saucepan and sauté for two minutes. Add the water and bring to a boil. Add rice and stir well. Cover saucepan with lid and cook over medium heat for 5 minutes. Reduce heat to low and cook for 20 minutes or until rice is tender and soup thickens to your liking. Stir occasionally. Remove bay leaves.

Serve with double fried plantains (tostones).

Makes 8 servings

BEEF ROUND STEAK WITH ONIONS
(Bistec Encebollado)

Beef Round Steak with Onions and Double Fried Green Plantains

I have fond memories of my mother, Genoveva, in the kitchen preparing the beef round steaks. She would remove the excess fat, cut the steak into ¼-inch thick slices and pound both sides of the beef steaks with a meat tenderizer. Today you can purchase lean round steaks cut into ¼-inch thick slices, significantly reducing preparation time.

INGREDIENTS

1½ pounds **beef round steak**, boneless and
   sliced into ¼-inch thick

2 large **onions**, peeled and sliced
1 tablespoon **extra virgin olive oil**

Marinating Ingredients:

2 tablespoons **extra virgin olive oil**
1 tablespoon **white vinegar**
4 **garlic cloves**, peeled and minced

2 teaspoons **salt** (low sodium) or to taste
¼ teaspoon **black pepper**

METHOD

STEP 1   Mix marinating ingredients in a bowl. Rinse steak slices and trim excess fat. Pound both sides with a meat tenderizer. If you purchase the steaks already tenderized, omit the step of pounding the meat. Place steaks in a bowl and coat with marinating ingredients. Cover bowl and refrigerate for 4 hours.

STEP 2   Heat 1 tablespoon of olive oil in a 12-inch skillet over medium-low heat. Add the steaks and place sliced onions on top of the steaks. Cover skillet with lid and simmer for 15 minutes. Turn steaks over and simmer for an additional 15 minutes or until the steaks are tender. Serve the steaks with onions and spoon over the juices released from the steaks and onions.

This dish is normally served with white rice, stewed beans and double fried plantains (tostones).

Makes 4 servings

BAKED BREADED PORK CHOPS
(Chuletas Empanadas al Horno)

Baked Breaded Pork Chops with Fried Ripe Plantains

In Puerto Rico, the "empanadas" are cuts of meat (chicken, pork or beef) dipped in beaten eggs and then coated with bread or cracker crumbs. Normally, the breaded pork chops are fried but I prefer to bake them.

INGREDIENTS

6 bone-in **pork chops**, ½-inch thick, trimmed of
   excess fat

4 large **eggs**
1 cup plain **bread crumbs**

Marinating Ingredients:

2 tablespoons **extra virgin olive oil**
1 tablespoon **white vinegar**
2 **garlic cloves**, peeled and minced
¼ teaspoon **salt** (low sodium) or to taste

¼ teaspoon **black pepper**
½ teaspoon of **cumin**

Extra virgin olive oil to grease baking pans

METHOD

STEP 1   Preheat oven to 350°F.

STEP 2   Rinse pork chops and place in a bowl. Mix marinating ingredients in another bowl and pour over pork chops. Coat pork chops entirely with marinade. Cover bowl with lid and refrigerate for 4 hours.

STEP 3   Beat eggs and place in shallow pan. Place bread crumbs in another shallow pan.

STEP 4   Lightly grease the bottom of two 13 x 9 x 2-inch baking pans with olive oil. Remove pork chops from refrigerator. Dip each pork chop in beaten eggs and coat completely with bread crumbs. Arrange pork chops in two baking pans and cover with aluminum foil.

STEP 5   Place in oven and bake for one hour or until the pork chops are thoroughly cooked. Remove aluminum foil and bake for another 10 minutes until lightly browned.

Serve with fried ripe plantains.

Makes 6 servings

ROASTED PORK SHOULDER
(Pernil de Cerdo al Horno)

The roasted pork shoulder is served with steamed root vegetables with pork filling (pasteles) and rice with green pigeon peas especially during the Christmas Holidays. The key to a flavorful and tender pork roast is marinating the pork shoulder overnight. The skin is served very crispy. I also prepare Cuban sandwiches with leftover roasted pork shoulder.

INGREDIENTS

1 bone-in **pork shoulder roast**, 8 - 9 pounds

Marinating Ingredients:

8 **garlic cloves**, peeled and minced
1 tablespoon **black pepper**
1 tablespoon **oregano**

8 teaspoons **salt** (low sodium)
2 tablespoons **extra virgin olive oil**
1½ tablespoons **white vinegar**

METHOD

STEP 1 In a mortar with pestle, crush together the garlic, black pepper, oregano, and salt. Add the olive oil and white vinegar. Blend ingredients well with pestle until a paste is formed.

STEP 2 Rinse pork roast and dry with paper towels. Place pork roast skin side up in a roasting pan. Score the surface of skin with approximately 1-inch slits.

STEP 3 Fill slits with marinating paste and rub entire pork roast with remaining paste. Cover roasting pan with lid and refrigerate overnight.

STEP 4 Remove pork roast from refrigerator. Preheat oven to 350°F. Since pork should be cooked thoroughly, I always use a meat thermometer. Insert a meat thermometer in center of pork away from bones. Cover roasting pan with lid and place in oven. Cook until meat thermometer registers the adequate temperature (170°F) for pork. If not using a meat thermometer, bake (30 minutes per pound) for approximately 4 to 4½ hours.

STEP 5 To crisp the skin, remove lid and bake for an additional 30 minutes or until the skin becomes golden brown and crispy to your liking.

Serve with steamed root vegetables with pork filling (pasteles) and rice with green pigeon peas. See picture on page 44.

Makes 12 servings

CUBAN SANDWICH
(Emparedado Cubano)

The Cuban sandwich is my favorite sandwich. This is an excellent way to use the leftover portion of a roasted pork shoulder in preparing the Cuban sandwich. When I attended school at the University of Puerto Rico, I would take advantage of the breaks between classes to go to a restaurant in the plaza to purchase a Cuban Sandwich. It was definitely worth the wait. I would be fascinated how every culture has it own way of making sandwiches. No matter what kind of sandwich I would order in Puerto Rico, they would heat it on a griddle and flattened. Today we use the "Panini Grill" to prepare the same type of sandwiches I would eat with gusto in Puerto Rico.

INGREDIENTS

2 **French breads**, cut into 6-inch long sections
4 tablespoons **mustard** or **mayonnaise**
8 thin slices **lean ham**
1 pound **shredded roasted pork shoulder**
  (see page 35)

8 slices **Swiss cheese**
½ cup **dill pickles**, sliced
¼ cup **margarine** (made with **extra virgin olive oil**)

METHOD

STEP 1   Cut bread in half lengthwise. Spread mustard or mayonnaise on both halves of bread. Layer one half of bread with ham, shredded pork, cheese and dill pickles. Place the other half of bread on top.

STEP 2   Heat Panini Grill at medium temperature (read manufacturing instructions). Spread margarine on both grill plates.   Place the number of sandwiches the bottom grill plate will allow and cover sandwiches with top grill plate to flatten and to grill the sandwiches. The sandwiches are ready when the cheese is melted and the bread is golden brown on both sides.

If you do not have a Panini Grill, you can grill the sandwiches on a griddle or large skillet over low heat.   Add margarine to the heated griddle or skillet. Add the sandwiches and weigh them down with a heavy skillet to flatten. When the bottom side of the sandwiches are golden brown, turn the sandwiches over and grill the other side.   The sandwiches are ready when the cheese is melted and the bread is golden brown on both sides.

Makes 4 (6-inch) sandwiches

CHICKEN FRICASSÉE
(Pollo en Fricasé)

I prepare this dish with no salt because the vegetables and condiments add a lot of flavor to the chicken. When I inform my guests that I did not add salt to this dish, they cannot believe it.

2 cups **water**

4 **chicken breasts**, skinless and boneless

4 ounces **lean ham**, diced

3 medium **potatoes**

3 tablespoons **extra virgin olive oil**

2 seasoning envelopes with **coriander** and **annatto** (see page 14)

2 **garlic cloves**, peeled and minced

2 tablespoons **tomato sauce**

1 medium **green bell pepper**, cored, seeded and cut into strips

1 medium **red bell pepper**, cored, seeded and cut into strips

1 medium **yellow bell pepper**, cored, seeded and cut into strips

1 medium **onion**, peeled and thinly sliced

4 **ajíes dulces** (sweet peppers, see page 12), halved and seeded

3 sprigs fresh **cilantro**, chopped

2 **bay leaves**

14 **pimiento-stuffed green olives**

2 teaspoons **capers**, drained

1 can (8.5 ounces) **green peas**, drained

METHOD

STEP 1 In a 4-quart saucepan, bring 2 cups of water to a boil. Rinse chicken breasts and place in saucepan. Add ham and cook for 20 minutes over medium-low heat.

STEP 2 Peel potatoes. Cut in quarters and rinse potatoes. Add potatoes in saucepan. Add the remaining ingredients *except the green peas*. Stir well. Bring to a boil and reduce to simmer. Cover saucepan with lid and cook for 20 minutes or until the potatoes are fork tender. Add green peas. Cover saucepan with lid and cook for another 10 minutes.

STEP 3 If you prefer a thicker sauce, remove lid and continue cooking over medium heat until sauce thickens to your liking.

Serve with white rice.

Makes 4 servings

CHICKEN WITH RICE
(Arroz con Pollo)

This is a very popular dish among the Latin cultures. Every Latin culture has its own recipe and preparation method. This basic recipe is used to prepare authentic Puerto Rican chicken with rice. We normally use different chicken parts (chicken breasts, thighs, drumsticks, wings, etc.) with skin and bones in making this dish. I prepare this dish with skinless and boneless chicken breasts - a much healthier version. If you are not in the mood for the healthier version, substitute the skinless and boneless chicken breasts with your favorite chicken parts (with skin and bones) and enjoy the authentic way of cooking Puerto Rican chicken with rice.

INGREDIENTS

3 **chicken breasts**, skinless and boneless
2 cups **water**
1½ teaspoons **salt** (low sodium) or to taste
2 tablespoons **extra virgin olive oil**
2 seasoning envelopes with **coriander** and **annatto**
   (see page 14)
2 **garlic cloves**, peeled and minced

2 tablespoons **tomato sauce**
2 tablespoons **sofrito** (puréed condiments,
   see page 19)
3 sprigs fresh **cilantro**, chopped
14 **pimiento-stuffed green olives**
2 teaspoons **capers**, drained
2 cups **long-grain white rice**

Marinating Ingredients:

2 **garlic cloves**, peeled and minced
3 tablespoons **extra virgin olive oil**
1 tablespoon **white vinegar**

½ teaspoon **salt** (low sodium)
¼ teaspoon **black pepper**

METHOD

STEP 1 Cut chicken breasts into 1½-inch chunks. Rinse the chunks of chicken and place in a bowl. Mix marinating ingredients in another bowl. Pour over chunks of chicken and coat entirely with marinade. Cover bowl with lid and refrigerate for 4 hours or overnight.

STEP 2 In a 3-quart saucepan, add the chunks of chicken and the remaining ingredients *except for the rice*. Stir well. Cover saucepan with a tight-fitting lid and cook for 15 minutes over medium-low heat.

STEP 3 Bring to a boil and add the rice. With a wooden spoon, stir rice well into liquid. When the liquid in the saucepan starts to boil, immediately stir rice and reduce heat to a simmer. Cover saucepan with lid and simmer for 15 minutes or until all the liquid is absorbed.

STEP 4 Remove lid from saucepan. Gently turn the rice by inserting a wooden spoon to the bottom inside edge of the saucepan - bringing the bottom rice to the top. Cover and simmer for 20 minutes or until the rice is tender. Remove lid from saucepan and turn the rice again before serving.

Makes 6 servings

RICE WITH GREEN PIGEON PEAS AND PORK RIBS

(Arroz con Gandules Verdes y Costillitas de Cerdo)

Rice with green pigeon peas is usually served with roasted pork shoulder (pernil). You can also use other cuts of pork meat to cook together with the rice. I prefer to use pork ribs for this recipe.

INGREDIENTS

1½ pounds **pork spareribs**, cut into individual ribs
1 can (15 ounces) **green pigeon peas**
3 cups **water**
½ teaspoon **salt** (low sodium) or to taste
1 tablespoon **extra virgin olive oil**
2 seasoning envelopes with **coriander** and **annatto** (see page 14)
2 **garlic cloves**, peeled and minced

2 tablespoons **tomato sauce**
3 tablespoons **sofrito** (puréed condiments, see page 19)
3 sprigs fresh **cilantro**, chopped
4 **pimiento-stuffed green olives**, chopped
2 tablespoons **capers**, drained
3 cups **long-grain white rice**

Marinating Ingredients:

2 **garlic cloves**, peeled and minced
2 tablespoons **white vinegar**
3 tablespoons **extra virgin olive oil**

¼ teaspoon **black pepper**
½ teaspoon **salt** (low sodium)

METHOD

STEP 1 Rinse pork ribs and place in a bowl. Mix marinating ingredients in another bowl and pour over pork ribs. Coat pork ribs entirely with marinade. Cover bowl with lid and refrigerate for 4 hours.

STEP 2 In a 4-quart saucepan, add pork ribs and sear over medium heat. Add green pigeon peas along with liquid in can. Add the remaining ingredients *except for the rice*. Stir well.

STEP 3 Bring to a boil and add rice. With a wooden spoon, stir rice well into liquid. When the liquid in the saucepan starts to boil again, immediately stir rice and reduce heat to a simmer. Cover saucepan with a tight-fitting lid and simmer for 15 minutes or until all the liquid is absorbed.

STEP 4 Remove lid from saucepan. Gently turn the rice by inserting a wooden spoon to the bottom inside edge of the saucepan - bringing the bottom rice to the top. Cover and simmer for 20 minutes or until the rice is tender. Remove lid from saucepan and turn the rice again before serving.

Makes 6 servings

RICE WITH GREEN PIGEON PEAS
(Arroz con Gandules Verdes)

Rice with Green Pigeon Peas, Roasted Pork Shoulder and Steamed Root Vegetables with Pork Filling

My friend, Lirsa, lived in Canóvanas, Puerto Rico. Some weekends I would stay at her house. She and I would sit for two hours and we would shell fresh pigeon peas. She made the best rice with fresh pigeon peas. We still today, after more than 40 years, talk about that day. Rice with green pigeon peas is often prepared during the Christmas Holidays.

3 cups **water**
1 can (15 ounces) **green pigeon peas**
½ teaspoon **salt** (low sodium) or to taste
4 tablespoons **extra virgin olive oil**
2 seasoning envelopes with **coriander** and **annatto**
   (see page 14)
2 **garlic cloves**, peeled and minced
2 tablespoons **tomato sauce**

3 tablespoons **sofrito** (puréed condiments,
   see page 19)
3 sprigs fresh **cilantro**, chopped
4 **pimiento-stuffed green olives**, chopped
2 tablespoons **capers**, drained
1 cup **lean ham**, diced (optional)
3 cups **long-grain white rice**

METHOD

STEP 1   Bring 3 cups of water to a boil in a 3-quart saucepan. Add green pigeon peas along with liquid in can. Add the remaining ingredients *except for the rice*. Stir well.

STEP 2   Bring to a boil and add rice. With a wooden spoon, stir rice well into liquid. When the liquid in the saucepan starts to boil again, immediately stir rice and reduce heat to a simmer. Cover saucepan with a tight-fitting lid and simmer for 15 minutes or until all the liquid is absorbed.

STEP 3   Remove lid from saucepan. Gently turn the rice by inserting a wooden spoon to the bottom inside edge of the saucepan - bringing the bottom rice to the top. Cover and simmer for 20 minutes or until the rice is tender. Remove lid from saucepan and turn the rice again before serving.

Serve with roasted pork shoulder (pernil) and steamed root vegetables with pork filling (pasteles).

Makes 6 servings

STEWED RED KIDNEY BEANS
(Habichuelas Coloradas Guisadas)

Stewed Red Kidney Beans with White Rice

The rice and beans combination is considered a staple in our native Puerto Rican cookery. I cook a variety of dry beans and store them in the freezer for future use (see page 23). In Puerto Rico, we add pieces of pumpkin to thicken the bean sauce. The Caribbean West Indian pumpkins are sold whole or in wedges at the Latin markets. This basic recipe can also be used to stew different kinds of beans (pinto beans, pink beans, etc.).

4 cups cooked dry **red kidney beans** (see page 23) or 2 cans (15.5 ounces each can) **red kidney beans**

⅓ cup **water**

4 ounces **calabaza** (West Indian pumpkin, see page 12)

2 tablespoons **extra virgin olive oil**

2 seasoning envelopes with **coriander** and **annatto** (see page 14)

3 **garlic cloves**, peeled and minced

2 tablespoons **tomato sauce**

2 tablespoons **sofrito** (puréed condiments, see page 19)

3 sprigs fresh **cilantro**, chopped

1 teaspoon **salt** (low sodium) or to taste*

⅓ cup **lean ham**, diced (optional)

*omit salt if using canned beans

METHOD

STEP 1 Pour beans in a 2-quart saucepan over medium heat. If you are using canned beans, pour beans along with liquid into saucepan and add ⅓ cup of water.

STEP 2 Peel pumpkin. Discard the seeds and remove the strings from the pumpkin. Cut into 1-inch chunks. Rinse the chunks of pumpkin and add to saucepan. Add the remaining ingredients. Stir well and cook with lid over medium-low heat for 20 minutes or until pumpkin pieces are tender. Stir occasionally. If you prefer a thicker sauce, remove the lid and continue cooking the beans until sauce thickens to your liking.

Serve with white rice. You can also substitute brown rice for the white rice as well.

Makes 6 servings

WHITE RICE
(Arroz Blanco)

What I like the most about cooked white rice in our culture is that it can be served with a variety of stewed beans (pinto beans, red kidney beans, black beans, etc.). The rice and beans is a dish that vegetarians can consume with gusto because of its tasty and nutritional combination.

When a recipe calls for white rice as one of the ingredients, you can rinse the rice several times before cooking if you so desire.

INGREDIENTS

3 cups water
1½ teaspoons salt (low sodium) or to taste

3 tablespoons extra virgin olive oil
3 cups long-grain white rice

METHOD

STEP 1 Bring 3 cups of water to a boil in a 3-quart saucepan. Add salt, olive oil and rice. With a wooden spoon, stir rice well into liquid. When the liquid in the saucepan starts to boil again, immediately stir rice and reduce heat to a simmer. Cover saucepan with a tight-fitting lid and simmer for 15 minutes or until all the liquid is absorbed.

STEP 2 Remove lid from saucepan. Gently turn the rice by inserting a wooden spoon to the bottom inside edge of the saucepan - bringing the bottom rice to the top. Cover and simmer for 20 minutes or until the rice is tender. Remove lid from saucepan and turn the rice again before serving.

Serve white rice with your favorite stewed beans. See picture on page 46.

Makes 6 servings

Old San Juan

FRIED RIPE PLANTAINS AND BAKED RIPE PLANTAINS

(Amarillos y Plátanos Maduros Asados)

The green plantains and the ripe plantains have many uses in different kinds of recipes (appetizers, desserts, vegetables, stuffing and fritters). See page 13.

FRIED RIPE PLANTAINS (Amarillos)

INGREDIENTS

2 ripe plantains | ½ cup **canola oil** for frying

METHOD

STEP 1   Peel ripe plantains. Cut lengthwise in three slices. Heat oil in a 12-inch skillet over medium heat. Add plantains and fry them until both sides are golden brown. Remove from skillet and place on a plate lined with paper towels to absorb the excess oil. 3 servings. See picture on page 32.

BAKED RIPE PLANTAINS (Plátanos Maduros Asados)

INGREDIENTS

2 ripe plantains | 2 sheets of **aluminum foil**

METHOD

STEP 1   Preheat oven to 350°F. Peel ripe plantains. Wrap each plantain in aluminum foil. Place on top of baking sheet. Bake plantains for 40 minutes. Remove from oven. Carefully unwrap and serve warm. 2 servings.

 You can also bake the plantains without peeling the skin. Cut off the ends of the plantains and slit skin lengthwise from top to bottom. Place on baking sheet and bake for 40 minutes. Remove from oven and remove skin. Serve warm.

DOUBLE FRIED GREEN PLANTAINS

(Tostones)

INGREDIENTS

2 green plantains
2 cups water
1 tablespoon garlic powder

1½ teaspoons salt (low sodium) or to taste
1 cup canola oil for frying
1 tostonera

METHOD

STEP 1 In a large bowl, add water, garlic powder and salt. Stir well. Peel green plantains and rinse. Cut plantains diagonally or into round slices about 1-inch thick. Soak the pieces of plantain in water with the salt and garlic for 5 minutes.

STEP 2 Heat 1 cup of oil in a 12-inch skillet to 365°F. Remove the plantains from bowl and shake excess water from the plantain pieces before placing them in the skillet to avoid any splattering of oil. Fry the plantain pieces on both sides until they become fork tender and turn a golden yellow color. I stand in front of the frying pan, using a large fork, and carefully turn the pieces of plantain to cook evenly on all sides. This takes approximately 10 minutes. Remove plantain pieces from skillet and place on a plate lined with paper towels to absorb the excess oil.

STEP 3 Flatten the pieces of plantain in a "tostonera." See illustrations on pages 52 and 53. If you do not have a "tostonera," place a piece of plantain between two sheets of aluminum foil. With the palm of your hands or a rolling pin, apply pressure until it is flattened. Place the flattened plantain piece on a plate. Repeat this process for each piece of plantain.

STEP 4 Reheat oil to 365°F. Quickly dip each flattened plantain piece into the salted-garlic water (shake any excess water) and carefully place in the skillet. Fry them until both sides are golden brown. Remove from skillet and place on a plate lined with paper towels to absorb the excess oil. Serve immediately. See picture on page 30.

Makes 12 double fried green plantains

HOW TO MAKE DOUBLE FRIED GREEN PLANTAINS

<u>STEP 1</u>   Cut plantains diagonally or round slices about 1-inch thick.

<u>STEP 2</u>   Place a piece of fried plantain on the bottom part of the tostonera.

STEP 3 Close lid of the tostonera to flatten the piece of plantain.

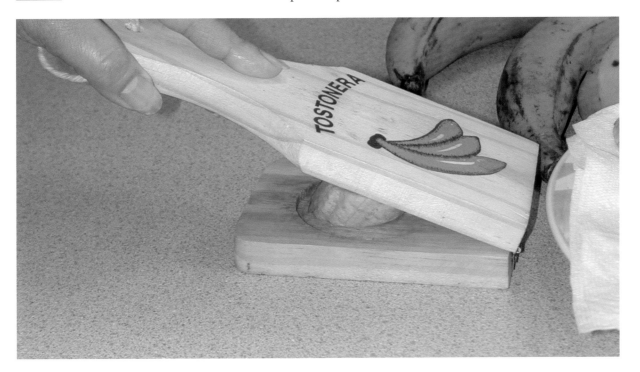

— MASHED GREEN PLANTAINS WITH BACON —
(Mofongo)

The mofongo is served shaped in small balls and sometimes served in a mortar. Crisp pork crackling (chicharrón) is traditionally used to mix together with the plantains. I use bacon in this recipe, maintaining the same texture and flavoring.

3 **green plantains** (see page 13)
3 cups **water**
1½ teaspoons **salt** (low sodium) or to taste

½ pound **bacon**
4 **garlic cloves**, peeled and minced
1 cup **canola oil** for frying

METHOD

STEP 1   Peel and cut green plantains into 1-inch chunks. Rinse the plantain pieces. Mix the water and the salt in a medium size bowl. Add the chunks of plantain and soak (add more water, if necessary, to cover the plantains) for 10 minutes. Drain water from bowl.

STEP 2   In a 12-inch skillet, heat 1 cup of oil to 365°F. Add the chunks of plantain to skillet (as many as the skillet will hold) and fry them until fork tender and the plantains turn a golden yellow color. I stand in front of the frying pan, using a large fork, and carefully turn the chunks of plantains to cook evenly on all sides. This takes approximately 10 minutes. Remove plantain pieces from skillet and place on a plate lined with paper towels to absorb the excess oil.

STEP 3   In a 10-inch skillet, cook bacon until crispy over medium heat. Remove bacon from skillet and crumble the bacon into a large bowl. Reserve bacon grease in a small bowl when slightly cooled.

STEP 4   In a mortar, crush the cloves of garlic with pestle and place in bowl along with the crumbled bacon. Place as many chunks of plantain as the mortar will hold. Add one tablespoon of bacon grease and mash with pestle. Remove mashed plantains from mortar and place in bowl together with the garlic and bacon mixture. Repeat this process until all the chunks of plantain are mashed. With your hands, mix together the crumbled bacon, the crushed garlic and the mashed plantains. Discard remaining bacon grease.

STEP 5   Take 2 tablespoons of plantain mixture and shape into a 2-inch ball with your hands. Place the 2-inch balls on a platter and serve with your favorite meat entrée.

Makes 14 mofongo balls

PLANTAIN MEAT PIE
(Piñón)

Ripe plantains are used in preparing this dish. The ripe plantains add a sweet flavor to the meat mixture. I use very ripe plantains (when the peel turns black) for this recipe. Traditionally, the piñón is prepared in a skillet with ground beef and fried plantains. The plantains in this recipe are baked and I use ground turkey.

I cook the piñón in a skillet on top of the stove. It can also be baked using a 13 x 9 x 2-inch baking pan for 40 minutes at 350°F and layers of cheese can be added similar to a "Lasagna."

6 large **ripe plantains** (see page 13)
8 large **eggs**

3 teaspoons **extra virgin olive oil**

Filling:

1 tablespoon **extra virgin olive oil**
1 pound **ground turkey**
½ teaspoon **salt** (low sodium) or to taste
½ teaspoon **oregano**
2 seasoning envelopes with **coriander** and **annatto** (see page 14)
3 **garlic cloves**, peeled and minced

⅓ cup **tomato sauce**
3 tablespoons **sofrito** (puréed condiments, see page 19)
1½ teaspoons **capers**, drained
8 **pimiento-stuffed green olives**, halved
1 can (14.5 ounces) **French style green beans**, drained

METHOD

STEP 1 Preheat oven to 350°F. Cut off the ends of the plantains and slit skin lengthwise from top to bottom. Place on baking sheet and bake for 40 minutes. Remove from oven and let cool. Remove skin and cut lengthwise into 3 to 4 slices about ¼-inch thick.

STEP 2 *Filling:* In a 10-inch skillet, heat 1 tablespoon of olive oil over medium-low heat. Add ground turkey and cook for 15 minutes or until the meat is thoroughly cooked. Stir occasionally. Add the remaining ingredients listed for the filling. Stir well. Cook over low heat for 15 minutes, stirring the meat mixture occasionally. Place meat mixture in a bowl and set aside.

STEP 3 In a nonstick 10-inch skillet, lightly grease bottom of skillet with 1½ teaspoons of olive oil. Heat skillet over low heat. Beat eggs in a bowl. Pour half of the egg mixture at the bottom of the skillet. Layer with sliced plantains and meat mixture, starting with the plantains and ending with the plantains. Pour the other half of the egg mixture on top of the plantains. Cook for 15 minutes or until the eggs become firm at the bottom of the skillet and the eggs on top begin to thicken but not firm.

STEP 4 Lightly grease the bottom of another nonstick 10-inch skillet with 1½ teaspoons of olive oil. Place the greased skillet on top of skillet containing the plantain meat pie (piñón) and carefully invert onto the other skillet. Cook for 15 minutes over low heat or until the eggs become firm. Run a knife carefully around the inside edges of the skillet to loosen egg mixture. You can serve a slice of the plantain meat pie (piñón) directly from the skillet. You can also place a large plate on top of the skillet and carefully invert the plantain meat pie (piñón) onto the plate.

Makes 8 servings

STEAMED ROOT VEGETABLES
WITH PORK FILLING
(Pasteles)

This dish is very popular in Puerto Rico. It is mainly consumed during the Christmas Holidays and is similar to the Mexican tamales and Venezuelan hallacas. During the month of November, my family and I would usually get together and make approximately 130 pasteles. Since we make large quantities, we normally freeze most of the pasteles in gallon size freezer bags before cooking them.

In the past, we would grate manually the root vegetables. Today we use the food processor. I also steam the pasteles as opposed to boiling them in a pot of salt water (traditional method). With the steaming method, you prevent water from entering the pasteles and you eliminate the water draining process. At the same time, the dough of the pasteles maintains its form and absorbs the unique flavor from the plantain leaves. The plantain or banana leaves are sold frozen at the Latin markets.

Filling:

2 pounds **pork boneless stew meat**, trimmed of excess fat, cut into ½-inch cubes

½ cup **water**

4 ounces **lean ham**, diced

1½ teaspoons **salt** (low sodium) or to taste

⅓ cup **annatto oil** (see page 17)

3 **garlic cloves**, peeled and minced

2 tablespoons **tomato sauce**

3 tablespoons **sofrito** (puréed condiments, see page 19)

4 sprigs **fresh cilantro**, chopped

¾ cup **seedless raisins** (optional)

20 **pimiento-stuffed green olives**, halved

2 tablespoons **capers**, drained

1 can (15 ounces) **garbanzo beans**, with liquid

Dough:

10 **green bananas**, peeled

2 pounds **yautía** (taro root, see page 14), peeled

2 **green plantains** (see page 13), peeled

2 tablespoons **salt** (low sodium) or to taste

1⅔ cups **annatto oil** (see page 17)

2 cups warm **skim milk**

To Wrap Pasteles:

24 **plantain leaves**, cut into 9 x 12 inches

24 sheets **parchment paper**, cut into 10 x 15 inches

Kitchen String

METHOD

STEP 1 *Filling:* Rinse pork meat and place in a 3-quart saucepan. Add water and cook over low heat for 15 minutes. Add the remaining ingredients and stir well. Bring to a boil. Cover saucepan with lid and simmer for 50 minutes or until pork meat is thoroughly cooked and most of the liquid is absorbed.

STEP 2 *Dough:* In a food processor, grate the green bananas, yautías (taro root) and green plantains. Place dough into a large bowl and add salt, annatto oil and warm milk. Mix all ingredients thoroughly with a wooden spoon until the color of dough is uniform.

STEP 3 Clean plantain leaves with wet cloth. Cut to size the plantain leaves and parchment paper as indicated. Place a plantain leaf on top of each parchment paper. In the center of the plantain leaf (lengthwise), place 3 heaping tablespoons of dough. With a stainless steel spoon, spread dough evenly in the center of the plantain leaf, leaving a 3-inch border on the leaf. Place 3 tablespoons of pork filling in center of dough.

STEP 4 With stainless steel spoon, fold edges of dough towards the center, covering pork filling. Fold first the plantain leaf lengthwise over dough mixture. Fold each end gently toward the center. Turn it over and place folded side down on top of parchment paper. Fold the parchment paper lengthwise, covering the folded plantain leaf. Fold each end gently toward the center. With kitchen string, tie each one crisscross and secure with a knot in the center. See illustrations on pages 60 and 61.

STEP 5 *To Steam Root Vegetables with Pork Filling "Pasteles":* Insert steamer basket into a 12-quart steamer. Add sufficient water to steamer, making sure that the water is below the steamer basket, so that the "pasteles" are not sitting in water. Place steamer on stove over medium heat. Gently place the number of "pasteles" the steamer basket will hold. Cover steamer with lid and steam for 45 minutes or until the "pasteles" are firm. Remove lid and wait until the steam has evaporated before removing the "pasteles" from the steamer basket. Remove "pasteles" from steamer basket and place on a large platter. When ready to serve, cut the strings, unwrap and serve on a plate with roasted pork shoulder (pernil) and rice with green pigeon peas. Cook the "pasteles" for an additional 15 minutes if they are frozen.

Makes 24 steamed root vegetables with pork filling

HOW TO WRAP PASTELES

STEP 1 Fold plantain leaf lengthwise over dough mixture. Fold each end gently toward the center. Place folded side down on top of parchment paper.

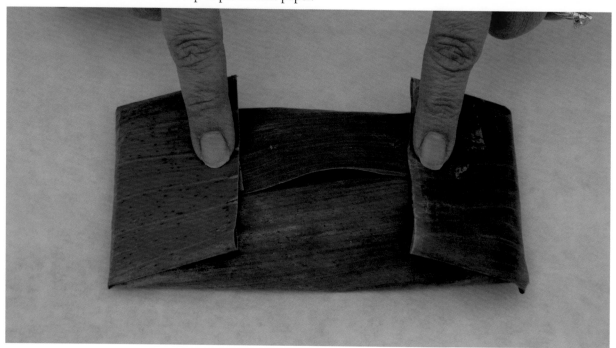

STEP 2 Fold parchment paper lengthwise, covering the plantain leaf. Fold each end gently toward the center. Tie with kitchen string crisscross and secure with a knot in the center.

STUFFED BAKED GREEN PLANTAINS

(Alcapurrias)

The dough consists of green plantains or bananas and yautías (taro root) and is stuffed with ground meat. The meat mixture is prepared with ground beef but I use ground turkey. Traditionally, the alcapurrias are fried but I baked them wrapped in banana or plantain leaves. My friends had some alcapurrias and when I told them they were baked, they thought I was kidding.

INGREDIENTS

Filling:

1 pound **ground turkey**
2 tablespoons **annatto oil** (see page 17)
½ teaspoon **salt** (low sodium) or to taste
2 tablespoons **sofrito** (puréed condiments, see page 19)

2 **garlic cloves**, peeled and minced
2 tablespoons **tomato sauce**
6 **pimiento-stuffed green olives**, chopped
½ teaspoon **capers**, drained
2 ounces **lean ham**, diced

Dough:

2 **green plantains** (see page 13) or 5 **green bananas**, peeled
1 pound **yautía** (taro root, see page 14), peeled

2 teaspoons **salt** (low sodium) or to taste
2 tablespoons **annatto oil** (see page 17)

To Wrap Alcapurrias:

12 **plantain leaves**, cut into 8 x 6 inches

½ cup **annatto oil** (see page 17)

METHOD

STEP 1 *Filling:* Place ground turkey with 2 tablespoons of annatto oil in a 3-quart saucepan. Cook for 15 minutes over medium-low heat, stirring the meat occasionally. Add the remaining ingredients and stir well. Cover saucepan with lid and simmer for 15 minutes or until meat is thoroughly cooked.

STEP 2 *Dough:* Rinse the green plantains or bananas and the yautías (taro root). In a bowl, grate the yautías and green plantains or bananas on the super-fine blade side of a box grater or use a food processor. Place dough into a large bowl and add salt and annatto oil. Stir dough with wooden spoon until the color of dough is uniform.

STEP 3 Preheat oven to 350°F. Cut to size the plantain leaves as indicated. Spread ½ teaspoon of annatto oil on a plantain leaf. Place ¼ cup of dough on top of plantain leaf. Make a well in the center and place 1 heaping tablespoonful of meat mixture in the center of dough. With a stainless steel spoon, cover meat mixture completely with dough and shape the alcapurria to measure approximately 4½ inches long, 2 inches wide and ½-inch thick. Wrap each alcapurria in a plantain leaf, making sure the alcapurria is not exposed, by folding the two sides over. Repeat this process to prepare each alcapurria.

STEP 4 Place wrapped alcapurrias with folded side down on a baking sheet. Place baking sheet in oven and bake for 30 minutes. Remove baking sheet from oven. The alcapurrias are fully cooked after 30 minutes and ready to eat. However, if you prefer them crispier, then carefully turn over the hot alcapurrias and partially unwrap each one (exposing the top part of the alcapurrias). Bake for an additional 15 minutes to brown on top. Serve warm.

Makes 12 stuffed baked green plantains

BOILED ROOT VEGETABLES

(Viandas)

Ñame, Yuca and Yautía

When I was studying at the University of Puerto Rico, my aunt, Paulita, would always prepare boiled root vegetables for lunch. I would drizzle olive oil over the boiled root vegetables and would eat them with sliced avocados.

10 cups **water**

2 teaspoons **salt** (low sodium) or to taste

½ pound **yautía** (taro root, see page 14)

1 pound **ñame** (Caribbean yam, see page 13)

½ pound **yuca** (cassava, see page 13)

METHOD

STEP 1   In a 4-quart saucepan, bring 10 cups of water to a boil. Add 2 teaspoons of salt.

STEP 2   Peel the yautía, ñame and yuca. Cut into 1-inch slices. Cut the yuca in half and remove the fibrous string located in the center of the yuca. Rinse root vegetables and carefully place in saucepan (add more water to cover the root vegetables if necessary). Cover with lid and cook over medium heat for 20 minutes or until the root vegetables are fork tender. Carefully remove boiled root vegetables and place in a bowl.

Serve with stewed salt cod or salt cod salad (serenata).

Makes 5 servings

BOILED BREADFRUITS

(Panapén (Panas) Hervidas)

Boiled Breadfruits with Stewed Salt Cod

Every three months, I would visit my uncle, Quinto, in the Candelero neighborhood in Humacao, Puerto Rico. When it was time for me to return home, my uncle would give me a bag full of breadfruits. I can eat breadfruit every day.

Boiled breadfruits are normally served with stewed salt cod or salt cod salad (serenata). It can also be served drizzled with olive oil and sliced avocados.

14 cups **water**

1½ tablespoons **salt** (low sodium) or to taste

1 **ripe breadfruit** (see page 12)

METHOD

STEP 1   In a 4-quart saucepan, bring 14 cups of water to a boil. Add salt.

STEP 2   Cut the breadfruit in half lengthwise. Cut each half into four equal wedges lengthwise. On each wedge, remove approximately ½ inch of flesh. Peel each wedge. See illustrations on pages 67 and 68. Rinse breadfruit wedges and carefully add to boiling water in saucepan (add more water to cover breadfruit wedges if necessary).

STEP 3   Cover saucepan with a lid and cook for 20 minutes over medium heat or until breadfruit wedges are fork tender.   Carefully remove the boiled breadfruit wedges and place in a bowl.

Makes 4 servings

HOW TO PREPARE A BREADFRUIT

STEP 1   Cut a section lengthwise in half into a wedge.

STEP 2   Remove approximately ½ inch of flesh.

STEP 3   Peel the wedge.

Sentry Box at El Morro - Old San Juan

SALT COD SALAD
(Serenata)

Bacalao is a cod fish that has been salted and dried to prevent from spoiling. When this method of preserving cod is applied, the water content of the cod is significantly reduced, creating a firm and dry texture. Bacalao (salted/dried cod) is sold in pieces with skin and bones. It has a pale yellowish color that appears to have a white coating film due to the application of salt. If your preference is to purchase the authentic salted and dried cod at the Latin markets, you will need to remove the skin and bones after it has been cooked. I prefer the salted pollock fillets (boneless and skinless), which is now commonly used in Puerto Rico. Even though you still need to desalt the salted pollock fillets, you eliminate, however, the deboning and the skin removal process. The desalting instructions in this recipe applies to both the authentic salted/dried cod and the salted pollock fillets.

In Puerto Rico, my aunt, Paulita, would serve the salt cod on a bed of lettuce from the island. I prefer the salt cod salad with spinach. It is also prepared and served without any green leafy vegetables.

1 pound **salted pollock fillets**, boneless and skinless

4 ounces **spinach leaves**

1 large **onion**, peeled and thinly sliced

1 large **tomato**, sliced

1 medium **ripe avocado**, peeled and diced

3 **hard-boiled eggs**, peeled and sliced (optional)

Extra virgin olive oil (to drizzle over salad)

METHOD

STEP 1 Rinse salted pollock fillets in cold water to eliminate the excess salt. Place in a large bowl and soak in cold water for 4 hours with two to three changes of fresh water. Drain water from bowl.

STEP 2 Pour 6 cups of water in a 3-quart saucepan. Add salt cod to saucepan and boil for 15 minutes. Taste salt cod to determine if the salt content is to your liking. If too salty, repeat the boiling process with fresh water until the salt content is reduced to your taste. Carefully drain water from saucepan. Rinse salt cod with cold water and place in a bowl. Let completely cool. Shred the salt cod with your hands.

STEP 3 Arrange spinach on a large platter. Layer with shredded salt cod, sliced onions, sliced tomatoes, diced avocados and sliced eggs (if desired).

STEP 4 Drizzle olive oil (to taste) over salt cod salad.

Serve cold with boiled root vegetables (viandas) or boiled breadfruits (panapén).

Makes 6 servings

STEWED SALT COD

(Bacalao Guisado)

INGREDIENTS

1 pound **salted pollock fillets**, boneless and skinless
1 cup **extra virgin olive oil**
2 tablespoons **sofrito** (puréed condiments, see page 19)
2 seasoning envelopes with **coriander** and **annatto** (see page 14)

2 **garlic cloves**, peeled and minced
1 medium **onion**, peeled and thinly sliced (optional)
2 tablespoons **tomato sauce**

METHOD

STEP 1 Rinse salted pollock fillets in cold water to remove the excess salt. Place in a large bowl and soak in cold water for 4 hours with two to three changes of fresh water. Drain water from bowl.

STEP 2 Pour 6 cups of water in a 3-quart saucepan. Add salt cod to saucepan and boil for 15 minutes. Taste salt cod to determine if the salt content is to your liking. If too salty, repeat the boiling process with fresh water until the salt content is reduced to your taste. Carefully drain water from saucepan. Rinse salt cod with cold water and place in a bowl. Let completely cool. Shred the salt cod with your hands.

STEP 3 In a 10-inch skillet, heat olive oil over medium heat. Add sofrito, seasoning envelopes, garlic, sliced onions and tomato sauce. Stir well and let simmer for 5 minutes. Add shredded salt cod to skillet and stir until completely coated with the tomato-based sauce. Simmer for 15 to 20 minutes, stirring occasionally.

Serve with boiled root vegetables (viandas) or boiled breadfruits. See picture on page 66.

Variation - Stewed Salt Cod with Scrambled Eggs
In a bowl, beat three eggs. Add to skillet with stewed salt cod and stir. Cook until the eggs become firm, stir occasionally.

Variation - Stewed Salt Cod with Eggplant
Peel one medium size eggplant and cut into 1-inch chunks. Place in skillet with stewed salt cod and simmer until eggplant is tender, approximately 30 minutes. Stir occasionally.

Makes 5 servings

Local Snow Cone Vendor

OATMEAL
(Avena)

In Puerto Rico, the oatmeal is cooked with salt, milk and sugar. I cook the oatmeal only with skim milk. When I serve the hot oatmeal in a bowl, I sprinkle brown sugar and ground cinnamon on top of the oatmeal. I purchase the instant oats at the Latin markets because the rolled oats are much smaller and the oatmeal texture is creamier.

INGREDIENTS

1 cup **instant oats** (small rolled oats)
2 cups **skim milk**

Brown sugar, sprinkle to taste
Ground cinnamon, sprinkle to taste

METHOD

STEP 1 Add instant oats and skim milk in a 1-quart saucepan. Stir well. Simmer for 10 minutes, stirring occasionally, or until the oatmeal forms a creamy texture.

STEP 2 Serve hot in two bowls and sprinkle with brown sugar and ground cinnamon on top of creamy oatmeal.

Makes 2 servings

SPANISH OMELET
(Tortilla Española)

The Spanish omelet is very simple but delicious. Whenever I would go out to eat breakfast in Puerto Rico, I would order a Spanish omelet with a cup of coffee. The Spanish omelet is thick, but I like to prepare it much thinner - the way it was prepared and served in Humacao, Puerto Rico.

1 medium **potato**
2 tablespoons **extra virgin olive oil**
1 small **onion**, peeled and chopped
6 large **eggs**

½ teaspoon **salt** (low sodium) or to taste
⅛ teaspoon **black pepper**
1½ teaspoons **extra virgin olive oil**

METHOD

STEP 1 Peel potato and cut into ½-inch cubes. Rinse potatoes. In a nonstick 10-inch skillet, heat 2 tablespoons of olive oil over low heat. Add potatoes and onions. Cover skillet with a lid. Cook potatoes and onions for 20 minutes over low heat or until potatoes are fork tender. Stir occasionally.

STEP 2 In a bowl, beat eggs and season with salt and black pepper. Pour egg mixture over the potatoes and onions in skillet. Cover skillet with lid. Cook for 15 minutes over low heat or until the eggs become firm at the bottom of the skillet and the eggs on top begin to thicken but not firm. Remove lid from skillet.

STEP 3 Grease the bottom of another nonstick 10-inch skillet with 1½ teaspoons of olive oil. Place the greased skillet on top of skillet containing the omelet and carefully invert omelet onto the other skillet. Cook the other side of the omelet for 15 minutes over low heat or until the eggs become firm.

STEP 4 With a spatula, loosen the omelet around the edges of the skillet and carefully slide the omelet onto a large plate or serve the omelet directly from the skillet.

Makes 4 servings

CORN MEAL FRITTERS

(Tortitas de Maíz)

Before I would leave to go to work in Puerto Rico, my aunt, Paulita, would prepare corn meal fritters for breakfast with a cup of Puerto Rican coffee. This recipe can also be used to prepare "surullos" - corn meal fritters shaped like a cigar. These are very popular in Puerto Rico. The cheese most often used in this recipe is Edam cheese. Edam cheese is a Dutch cheese formed into a ball covered in a red wax casing.

1½ cups **corn meal**, coarse yellow
⅓ cup **all-purpose flour**
½ teaspoon **salt** (low sodium) or to taste
1 cup shredded **Edam cheese**

1 tablespoon **margarine** (made with **extra virgin olive oil**)
1 cup warm **skim milk**
1 cup **canola oil** for frying

METHOD

STEP 1 Blend together corn meal, flour and salt in a medium size bowl. Add shredded cheese and margarine. Slowly pour the warm milk, stirring rapidly with a wooden spoon until all the ingredients are mixed well.   Let stand for 3 minutes to allow corn meal to thicken.

STEP 2 Heat 1 cup of oil in a 10-inch skillet to 365°F. Add corn meal mixture by tablespoonfuls into the skillet. Fry until golden brown on both sides. Remove from skillet and place on a plate lined with paper towels to absorb the excess oil.   Serve warm.

Makes 18 corn meal fritters

SALT COD FRITTERS
(Bacalaítos Fritos)

The salt cod fritters are normally medium size and fried thin but some individuals prefer them thicker and larger. If you find that the salt cod batter is too thick, just add water until batter consistency is to your liking.

INGREDIENTS

½ pound **salted pollock fillets**, boneless and skinless
1½ cups **all purpose flour**
1 teaspoon **baking powder**
1 teaspoon **salt** (low sodium) or to taste
¼ teaspoon **black pepper**

1½ cups **water**
½ cup **skim milk**
2 **garlic cloves**, peeled and minced
4 sprigs **fresh cilantro**, chopped
1 cup **canola oil** for frying

METHOD

STEP 1 Rinse salted pollock fillets in cold water to eliminate the excess salt. Place in a large bowl and soak in cold water for 4 hours with two to three changes of fresh water. Drain water from bowl.

STEP 2 Pour 6 cups of water in a 3-quart saucepan. Add salt cod to saucepan and boil for 15 minutes. Taste salt cod to determine if the salt content is to your liking. If too salty, repeat the boiling process with fresh water until the salt content is reduced to your taste. Carefully drain water from saucepan. Rinse salt cod with cold water and place in a bowl. Let completely cool. Shred the salt cod with your hands.

STEP 3 In a large bowl, mix the flour, baking powder, salt and black pepper. Stir well with a wooden spoon. Add water, milk, garlic, cilantro and shredded salt cod. Mix until a batter is formed.

STEP 4 In a 12-inch skillet, heat 1 cup of oil to 365°F. Measure ¼ cup of salt cod batter and carefully pour into skillet. Fry until golden brown on both sides. Remove from skillet and place salt cod fritters on a plate lined with paper towels to absorb the excess oil. Serve warm.

Makes 15 salt cod fritters

FRIED BREAD

(Yaniclecas)

Since I like to eat bread, I love yaniclecas. These fried breads are also called "arepas." I prepare the pre-cut dough in advance and freeze them in vacuum seal bags. Today you can also purchase a box of frozen pre-cut dough in the Latin markets.

INGREDIENTS

4 cups **all-purpose flour**
1½ teaspoons **salt** (low sodium) or to taste
1 teaspoon **baking powder**

⅓ cup **margarine** (made with **extra virgin olive oil**)
1½ cups **skim milk**
1 cup **canola oil** for frying

METHOD

STEP 1 Mix the flour, salt and baking powder in mixing bowl with a wooden spoon. Add margarine. With a dough blender, cut margarine thoroughly into flour. Gradually pour skim milk into flour mixture and stir until dough is formed.

STEP 2 Place dough onto a floured surface and shape dough into a ball with your hands. Knead dough for 4 minutes until dough is smooth and elastic. If the dough is too sticky to knead, add flour to surface and continue kneading the dough. Divide dough into 20 equal parts and shape them into 1½-inch balls with the palm of your hands. Place on wax paper sprinkled lightly with flour.

STEP 3 Using a lightly floured rolling pin, roll each ball of dough into a 5-inch circle with a ⅛-inch thickness. Place on wax paper sprinkled lightly with flour.

STEP 4 Heat 1 cup of oil in a 12-inch skillet to 365°F. Fry dough until golden brown on both sides. Remove from skillet and place on a plate lined with paper towels to absorb the excess oil. Serve warm with a cup of Puerto Rican coffee.

Makes 20 fried breads

FRIED MEAT PIES

(Pastelillos)

The pastelillos are known as "empanadas" in other Latin countries. Empanadas in Puerto Rico are basically cuts of meat dipped in beaten eggs and coated with cracker crumbs. They are either fried or baked.

One day I decided to make pastelillos. I called my mother, Genoveva, and asked her if she uses baking powder or baking soda - she responded whatever was available in her pantry. I also asked if she uses self-rising flour or all purpose flour - she responded whatever was the cheapest at the store. I laughed so hard because I thought I will never learn how to make the pastelillos, according to our conversation. I invited her over to my house and asked her to show me how she makes the pastelillos. She started adding all the ingredients without measuring in a bowl. We had to start over and I got some measurements. For several months, I worked on the dough until I got the right measurements and consistency. I invited my mother and my oldest brother, Ruben, over to eat some of my pastelillos. My mother ate the pastelillos and stated they were the best pastelillos she has ever eaten. She asked me to give her the recipe - I responded that I just used her ingredients but created my own measurements until the dough was perfect. My friends from Puerto Rico tried my pastelillos and said they were better than the ones from Puerto Rico - now they request that I mail them frozen pastelillos.

INGREDIENTS

Filling:

2 pounds **beef stew**, trimmed of excess fat, cut into
  ½-inch cubes
½ cup **water**
1 teaspoon **salt** (low sodium) or to taste
1 tablespoon **extra virgin olive oil**
2 seasoning envelopes with **coriander** and **annatto**
  (see page 14)

3 **garlic cloves**, peeled and minced
2 tablespoons **tomato sauce**
3 tablespoons **sofrito** (puréed condiments,
  see page 19)
3 sprigs **fresh cilantro**, chopped

Dough:

4 cups **all-purpose flour**
1 teaspoon **salt** (low sodium) or to taste
1 teaspoon **baking soda**

⅓ cup **vegetable shortening**
1½ cups **chilled water**

2 cups **canola oil** for frying

METHOD

STEP 1 **Filling:** Rinse meat and place in a 3-quart size saucepan. Add water and simmer for 10 minutes. Add the remaining ingredients and stir well. Bring to a boil. Cover saucepan with lid and simmer for 30 minutes or until the meat is tender, stirring occasionally.   If the meat mixture has too much liquid, remove the lid and cook over medium heat to rapidly thicken the sauce. Remove saucepan from heat. Let cool.

STEP 2 **Dough:** Mix the flour, salt and baking soda in mixing bowl with a wooden spoon. Add vegetable shortening. With a dough blender, cut vegetable shortening thoroughly into flour. Gradually pour chilled water into flour mixture and stir until dough is formed. Place dough onto a floured surface and shape dough into a ball with your hands. Knead the dough for 4 minutes until the dough is smooth and elastic.   If the dough is too sticky to knead, add flour to surface and continue kneading the dough. Divide dough into 20 equal parts and shape them into 1½-inch balls with the palm of your hands. Place on wax paper sprinkled lightly with flour.

STEP 3 Using a lightly floured rolling pin, roll ball of dough into a 6-inch circle with a ⅛-inch thickness. Place 2 tablespoons of meat mixture in the center of circle. Fold the circle in half-moon shape. Run a small saucer through the folded edges of dough and cut the edges to round them evenly. Place aside the cut dough. Press the edges with the tines of a fork dipped in water to seal. Place each meat pies on wax paper sprinkled lightly with flour. Repeat process for each ball of dough.

STEP 4   Heat 2 cups of oil in a 12-inch skillet to 365°F. Fry meat pies and remove from skillet when both sides are golden brown. Place on a plate lined with paper towels to absorb the excess oil. Serve warm.

 Normally, I prepare the pastelillos in advance and freeze them in vacuum seal bags. The vacuum seal bags prevent the pastelillos from getting freezer burn. Use regular freezer bags if you do not own a vacuum sealer. To freeze the pastelillos, place them on a cookie sheet, lined with wax paper, and place in freezer. Once frozen (approximately 1 hour), place 4 pastelillos, inserting a sheet of wax paper between each one, into a vacuum seal bag. Seal each bag with a vacuum sealer and place in freezer for future use. The wax paper will prevent the pastelillos from sticking to each other when removed from the bag for thawing. The pre-cut dough can also be purchased at the Latin markets.

Makes 20 fried meat pies

Hot Chili Peppers from a Local Grocer

STUFFED MASHED POTATOES
(Rellenos de Papa)

Every year most towns in Puerto Rico hold patronage festivals. Fried foods (like salt cod fritters, fried meat pies, stuffed mashed potatoes, etc.) are sold at the food stands (kiosks) around the town's main square (plaza). At these towns' festivities, you would enjoy the music, the crowd, the food, the drinks and if you were lucky, you would find your future husband or wife. I never had any such luck but I sure enjoyed the food and music.

Potato Dough:

12 cups **water**
1½ teaspoons **salt** (low sodium) or to taste
3 pounds **medium-size russet potatoes**, peeled
3 **garlic cloves**, peeled and minced
⅓ cup **skim milk**

1 tablespoon **cornstarch**
⅛ teaspoon **black pepper**
2 tablespoons **margarine** (made with **extra virgin olive oil**)

Filling:

1 pound **ground turkey**
1 tablespoon **extra virgin olive oil**
½ teaspoon **salt** (low sodium) or to taste
1 seasoning envelope with **coriander** and **annatto** (see page 14)

3 **garlic cloves**, peeled and minced
2 tablespoons **tomato sauce**
2 tablespoons **sofrito** (puréed condiments, see page 19)
6 **pimiento-stuffed green olives**, chopped

2 cups **canola oil** for frying
Cornstarch to handle potato mixture

2 large **eggs**

METHOD

STEP 1   *Potato Dough:* In a 4-quart saucepan, boil 12 cups of water. Add salt. Cut the potatoes in halves and rinse. Add potatoes to boiling water. Cover with lid and cook over medium heat for 20 minutes or until potatoes are fork tender. Remove potatoes from saucepan and place in a large mixing bowl. Mash the potatoes with a potato masher. Add the remaining ingredients and beat vigorously with a wooden spoon until well blended. Let stand to cool.

STEP 2   *Filling:* Place ground turkey with 1 tablespoon of oil in a 3-quart saucepan. Cook over low heat for 15 minutes, stirring occasionally. Add the remaining ingredients and stir well. Cover saucepan with lid and simmer for 15 minutes or until meat is thoroughly cooked.

STEP 3   Measure ½ cup of potato mixture and place in a bowl. Make a 2-inch well in the middle of the potato mixture. Place 1 heaping tablespoon of meat mixture into well. With your fingers, spread potato mixture from the sides towards the center to cover meat mixture. Cover hands totally with cornstarch. Carefully pick up entire stuffed mashed potato with your hands from bowl and shape into a round ball. Place stuffed mashed potato on wax paper lightly floured with cornstarch. Repeat process for each stuffed mashed potato. See illustrations on pages 90 and 91.

STEP 4   In a 12-inch skillet, heat 2 cups of oil to 365°F or use a deep fryer (follow manufacturing instructions for deep frying). In a large bowl, beat the eggs with a fork. Brush stuffed mashed potatoes, coating completely, with egg mixture. Fry immediately until golden brown and place on a plate lined with paper towels to absorb the excess oil. Serve warm.

Makes 12 stuffed mashed potatoes

HOW TO PREPARE STUFFED MASHED POTATOES

<u>STEP 1</u>   Place 1 heaping tablespoon of meat mixture into well.

<u>STEP 2</u>   With fingers, spread potato mixture from sides towards the center to cover meat mixture.

STEP 3   Shape into a round ball with hands.

BREAD PUDDING

(Budín de Pan)

This dessert is very easy to prepare, and it is usually made from stale bread without the crust. I make this bread pudding with 100% whole wheat bread and with the crust. The texture will not be the same as our typical bread pudding but it is a much healthier version and it has the same flavors.

10 slices 100% **whole wheat bread**

1¼ cups **skim milk**

¾ cup **sugar**

½ teaspoon **salt** (low sodium) or to taste

1 tablespoon **vanilla**

1 teaspoon **ground cinnamon**

½ cup seedless **raisins**

2 large **eggs**

½ cup **canola oil**

Margarine (made with **extra virgin olive oil**) to grease baking pan

METHOD

STEP 1   Preheat oven to 350°F.

STEP 2   Place bread in a large bowl and shred the bread into small pieces with your hands. Add milk, sugar, salt, vanilla, cinnamon, raisins, eggs and oil. Stir with a wooden spoon until a smooth dough is formed. If you work the dough more, the bread pudding will become denser - which is traditionally the way we prepare it. However, I like my bread pudding (see picture) with a more cake like consistency.

STEP 3   Grease a rectangular baking pan (9 x 4 x 2½ inches) with margarine made with extra virgin olive oil. Pour bread mixture into baking pan. Bake for 1 hour.   Test for doneness by inserting a toothpick in the center. If the toothpick comes out clean, the bread pudding is ready.

Makes 8 servings

COCONUT PUDDING
(Tembleque)

When it came to the kitchen, my mom, Genoveva, did not limit her culinary skills solely to Puerto Rican cookery. She would prepare a variety of desserts from different cultures. My mother enjoyed cooking very much and she taught me how to cook at age 12, for which I am very much obliged. She only taught me to cook so that I would be able to prepare meals for my future husband. She did not realize that marriage was not my priority. Therefore, cooking became one of my best hobbies.

2 cans (13.5 ounces each can) **coconut milk**
¾ cup chilled **water**
½ cup **cornstarch**
⅔ cup **sugar**

½ teaspoon **salt** (low sodium) or to taste
1 teaspoon **vanilla**

Ground cinnamon, sprinkle to taste

METHOD

STEP 1   In a bowl, mix coconut milk and water with a whisk. Add cornstarch. Using the whisk, stir cornstarch until it dissolves completely into the coconut milk. Pour the coconut milk mixture in a 3-quart saucepan over medium-high heat. Add the sugar, salt and vanilla. With a wooden spoon, stir frequently until the coconut milk mixture begins to thicken, approximately 3 to 4 minutes.

STEP 2   Reduce heat to simmer and stir continuously until the coconut milk mixture is thickened, approximately 8 to 12 minutes. Remove saucepan from heat.

STEP 3   Pour into a rectangular pan 8 x 8 x 2 inches. Cool slightly and place in refrigerator overnight. Before serving, sprinkle ground cinnamon on top of coconut pudding.

Makes 8 servings

CREAM CHEESE CUSTARD

(Flan de Queso)

Today we find many different recipes on how to prepare flan – with cheese, coconut, pineapple, etc. I enjoyed this flan because of its dense creamy texture. I wrote this recipe to reduce the fat and calories in this tasty dessert. In Puerto Rico, we normally bake the flan in a 9-inch round baking pan instead of individual ramekins. Also, flan is baked in a "bain-marie" - known as double boiler.

INGREDIENTS

1 can (14 ounces) **fat free sweetened condensed milk**

¾ cup **water**

3 large **eggs**

2 **egg yolks**

1 package (8 ounces) **light cream cheese**

Carmel:

1 cup **sugar**

9-inch round **baking pan**

METHOD

STEP 1   Preheat oven to 350°F.

STEP 2   In a 9-inch round baking pan (make sure the baking pan can be used on top of the stove), add 1 cup of sugar over low heat. Melt sugar until it is completely caramelized and turns to a golden brown color. Stir occasionally. Do not allow the sugar to burn. With both hands (oven gloves on), carefully swirl the caramel, coating the bottom and the sides of the pan. Place the pan aside.

STEP 3   In an electric blender, add the condensed milk, water, eggs, and egg yolks.   Cut the cream cheese in small portions. Add to electric blender. Beat at low speed until all ingredients are well blended. Pour flan mixture into the caramelized pan.

STEP 4   Pour approximately ½ inch of warm water into another round baking pan, 10 x 1½ inches or larger.   Place the pan with the flan mixture into the pan with water. Make sure water does not overflow from the pan nor should any water get into the custard mixture. Place in the oven for approximately 1 hour or until the custard is cooked and the center of the custard is firm.

STEP 5   Remove from the oven. Carefully remove the pan with cream cheese custard from the hot water. Let cool. Place in the refrigerator for at least 8 hours or overnight.   When ready to serve, run a knife carefully around the inside edges of the pan to loosen the custard. Invert cream cheese custard onto a large plate.

Makes 8 servings

VANILLA CUSTARD
(Flan de Vainilla)

I never knew what was flan until I moved to Puerto Rico. My cousin, Carmen Noelia, would buy flan prepared in individual aluminum cups at the supermarket. The flan had a creamy light texture covered with caramel. One day I decided to place a cup in the freezer for about two hours and it was delicious. I thought I was eating flan flavored ice cream. I would enjoy my flan frozen and my family would tease me about it. I was always a different kind of a person. For example, at age 17, I was working for an oil refinery in Yabucoa, Puerto Rico. I had to take public transportation to go to work. I asked my uncle, Agripino, if I could purchase a motorcycle. He almost had a heart attack. I believe that I would have been the only female biker on the island of Puerto Rico at that time. The town where I lived was very religious and conservative. He was so cute expressing his opinion - which the answer was no. Even though I was different, I respected my elders. I eventually got my first driver's license in Puerto Rico and my uncle would let me borrow his car so that I could attend night classes at the university.

Getting back to cooking, flan is baked using the double boiler process called "bain-marie." Flan is a creamy custard, thickened when the eggs and milk are heated, and covered with caramel. Depending on the ingredients, some flans have a creamy light texture while others have a denser creamy texture.

2 cans (16 ounces each can) **fat free evaporated milk** | 6 large **eggs**
1½ cups **sugar** | 1 teaspoon **vanilla extract**

Carmel:
1 cup **sugar** | 6 **ramekins**

METHOD

STEP 1 Preheat oven to 350°F.

STEP 2 In a 1-quart saucepan, add 1 cup of sugar over low heat. Melt sugar until it is completely caramelized and turns to a golden brown color. Stir occasionally. Do not allow the sugar to burn. Pour a small amount of caramel from saucepan into a ramekin dish and place saucepan again on top of stove on low heat. With both hands (oven gloves on), carefully swirl the caramel, coating the bottom and an inch on the sides of the ramekin. Set aside the ramekin dish. Repeat this process until all the ramekins are coated with caramel.

STEP 3 In an electric blender, add the evaporated milk, sugar, eggs and vanilla extract. Beat at low speed until all ingredients are well blended. Pour mixture into the caramelized ramekins.

STEP 4 Pour approximately 1 inch of warm water into two baking pans, 13 x 9 x 2 inches. Place the ramekins into the two baking pans. Make sure water does not overflow from the two baking pans nor should any water get into the custard mixture. Place both baking pans in the oven for approximately 1 hour or until the custards are cooked and the center of the custards are firm.

STEP 5 Remove baking pans from oven and carefully remove the ramekins from the hot water. Let cool. Place in refrigerator for at least 8 hours or overnight. When ready to serve, run a knife carefully around the inside edges of the ramekins to loosen the custard. Invert ramekins onto individual plates.

Makes 6 servings

PUERTO RICAN COFFEE WITH MILK

(Café Puertorriqueño con Leche)

Puerto Rican Coffee with Milk, Ginger Tea, Hot Chocolate and Guava Paste with Cheese

On a weekly basis, my aunt, Paulita, would make very strong coffee (similar to espresso) on the stove and store it in a glass jar. Every morning she would boil milk in a saucepan and would add a small amount of coffee from the jar. This coffee was strong and rich - I was definitely hooked.

I was intrigued by the coffee making process. She would pour at least 3 cups of water in a saucepan and would add Puerto Rican ground coffee (1 heaping tablespoon per cup of water). She would let it boil, constantly stirring. She would reduce the heat to a simmer for a few minutes. Then all of a sudden here comes this cone shaped cloth attached to a wire handle known as the "colador" - which means coffee strainer. She would place the tip of the "colador" inside the jar and strain the coffee. I could hardly wait for my cup of coffee every morning. You can purchase a "colador" at the Latin markets.

One day we went up to the mountains to visit my cousin's "padrinos." Since I love nature, I decided to wonder around the house while they were drinking and eating. I was fascinated and thrilled to see actual coffee beans growing from these branches and surprised they were in different colors (red, green and orange).

Let me tell you about the mountains in Puerto Rico. When I lived in Puerto Rico, I seldom went out dancing or drinking - even though I enjoyed the Latin music very much. I would rather be climbing a mountain and enjoying the view of this beautiful tropical island. When I knew I was going to spend a day climbing a mountain, I would prepare a lunch with plenty of water and take along a battery operated radio. Once I reached the top of the mountain, I would eat my sandwich and listen to music while enjoying the scenery.

Let's get back to my recipe. I do not make Puerto Rican coffee, using a colador. I make Puerto Rican coffee using an espresso coffee maker. It tastes exactly like my aunt's coffee. Puerto Rican espresso ground coffee can be purchased at the Latin markets.

INGREDIENTS

1 cup prepared **Puerto Rican espresso coffee**
1 cup **skim milk** or **2% milk**

Sugar (optional)

METHOD

<u>STEP 1</u> Prepare the Puerto Rican espresso coffee according to your espresso coffee maker manufacturing instructions. In a 1-quart saucepan, add the milk and bring to a boil. Add the coffee and stir well. Bring to a boil again. Reduce heat to simmer. Simmer for 2 minutes. Add sugar to your liking and stir. Pour coffee into two cups and enjoy.

 If you do not have an espresso coffee maker, add 1 cup of water and 1 heaping tablespoon of Puerto Rican espresso ground coffee in a 1-quart saucepan. Bring to a boil and simmer for 5 minutes, stirring occasionally. Strain coffee, using a cloth strainer, into another container. Follow instructions in Step 1 to combine the coffee with milk.

Adjust ratio of prepared espresso coffee for stronger/weaker coffee according to your taste.

Makes 2 cups

GINGER TEA
(Té de Jengibre)

We drink a lot of ginger tea in Puerto Rico. I make ginger tea on a weekly basis - especially since ginger has medicinal properties. Once made, I keep it refrigerated and have a cup of hot ginger tea every night. Sometimes I might add a teaspoon of honey and a cinnamon stick after heating up a cup of ginger tea.

We enjoy our hot beverages with guava paste and cheese. Guava is a fruit of a small, shrubby tree referred to as Psidium Guajava. The guava fruits can vary in shape (round or oval), size (1.6 to 4.7 inches long) and color (green, yellow and maroon), depending on species. The outer skin can be soft or rough. The pulp of the guava has either a dark pinkish color or cream color. The guava fruit can be eaten fresh when ripe or it can be used to prepare desserts, beverages, jellies or jams. We had a guava tree in our backyard and my cousin, Carmen Noelia, would make the best guava paste. Today you can purchase guava paste at your local Latin markets.

INGREDIENTS

10 cups **water**

5 ounces **ginger**, peeled and cut into ¼-inch slices

METHOD

STEP 1 Pour 10 cups of water in a 3-quart saucepan. Bring to a boil. Add sliced ginger and boil for 3 minutes. Reduce heat to simmer. Cover saucepan with lid and simmer for 40 minutes. Remove the ginger slices.

STEP 2 You can serve the ginger tea if you so desire or carefully pour the hot ginger tea into a large plastic pitcher. Let cool. Cover with lid and refrigerate for future use. See picture on page 100.

Makes about 9½ cups

HOT CHOCOLATE
(Chocolate Caliente)

The daytime temperature in Puerto Rico during the year remains above 80 degrees. However, during the months of November through March, the temperature at night is much cooler. Many nights my aunt, Paulita, would prepare hot chocolate during the cool nights. She would serve hot chocolate with pieces of Edam cheese inside each cup. After drinking half the cup of hot chocolate, we would scoop up the melted cheese with a spoon.

INGREDIENTS

2 bars **sweet chocolate** (1 ounce each) for
   hot chocolate
1 teaspoon **water**

2 cups **skim milk** or **2% milk**
2 ounces **Edam cheese**

METHOD

STEP 1   In a 1-quart saucepan over low heat, add the sweet chocolate bars and the water. Stir with a wooden spoon until the chocolate bars are fully melted.

STEP 2   Add milk to the saucepan and stir until the milk and the chocolate are well blended. Bring to a boil for 2 minutes.

STEP 3   Pour hot chocolate into 2 cups. Cut the cheese into small pieces and place inside the cups of hot chocolate. See picture on page 100.

Makes 2 cups

COCONUT EGGNOG
(Coquito)

The coquito is our traditional drink served during the Christmas Holidays. In Puerto Rico, Christmas is celebrated immediately after the Thanksgiving Holidays until Epiphany (January 6th). During this period you are aware that you can be awakened in the middle of the night by carolers (parrandas). When this takes place, you welcome them into your home and serve appetizers and drinks. The coconut eggnog is one of the drinks expected to be served at these occasions.

INGREDIENTS

4 egg yolks

1½ cups **white Puerto Rican rum** or to taste

2 cans (15 ounces each can) **cream of coconut**

2 cans (12 ounces each can) **fat free evaporated milk**

1 teaspoon **vanilla**

¼ teaspoon **ground nutmeg**

---

2 **plastic containers** (32 ounces each) with lid

ground nutmeg, sprinkle to taste

METHOD

STEP 1 If your electric blender does not have the capacity to hold all of the ingredients, blend the ingredients in two batches, using half of the ingredients.

STEP 2 Place the egg yolks and rum in an electric blender and beat at low speed for 15 seconds. Add the remaining ingredients. Beat at low speed for 20 seconds until well blended and a creamy texture is formed. Pour the eggnog into the plastic containers. Cover with lid and store in refrigerator overnight.

STEP 3 Before serving, shake the plastic containers to mix all of the ingredients. Since this drink is very strong, serve the coconut eggnog in small drinking glasses. Sprinkle with ground nutmeg on top of coconut eggnog. Any coconut eggnog that is not consumed should be stored in the refrigerator.

Makes 16 (4-ounce) servings

PIÑA COLADA
(Piña Colada)

The piña colada was the only drink I consumed when I would go out dancing with my friends in Puerto Rico. I enjoy drinks that have a fruity taste or a creamy texture.

INGREDIENTS

3 cups **pineapple juice**
1½ cups fresh **pineapple**, cut into 1-inch chunks
1 cup **cream of coconut**

¾ cup **white Puerto Rican rum** or to taste
1 cup **ice cubes**

METHOD

STEP 1   Add all of the ingredients in an electric blender. Beat at high speed until all ingredients are well blended and forms a creamy texture, approximately 20 seconds.

STEP 2   Pour into tall drinking glasses. Decorate drinking glass rim with a chunk of pineapple. The piña colada can be served as an alcoholic or non alcoholic beverage. Enjoy.

Makes 8 servings

Acknowledgments

I would like to thank my mother, Genoveva Lozada, who is my role model and who I love very much. Thank you for teaching me how to cook at the age of 12. I will always remember having Puerto Rican food and American food served at the same time on the table. When it came to the kitchen, you were bilingual. You encouraged me to live life to the fullest and to pursue all of my dreams. I love you, mom.

To my husband, Henry McAllister, who loves me unconditionally and supports me throughout all of my endeavors. I will always be committed to you for being such a special person and for allowing my family and friends to stay with us at our home for short or long visits. I am so happy that you love cooking and that we have so many fond memories about our experiences in the kitchen.

I would like to thank my aunt, Paulita Velázquez de Lugo, who has always been so kind to me and treated me like a daughter when I was living in Puerto Rico. I enjoyed observing you prepare the dinner knowing the excellent cook that you were. I think of you a lot when I make certain Puerto Rican dishes - especially corn meal fritters (tortitas de maíz).

To my cousins, Dr. Agripino Orlando Lugo, Dr. Carmen Noelia Lugo and Professor Ana Celia Lugo, who were such an inspiration and role models. I want to thank you for all your generosity and for encouraging me to get an education. Thank you for exposing me to the Caribbean world and encouraging me to become enthusiastic about traveling. I will always love you dearly. I cannot believe that your children (that I occasionally took care of in Puerto Rico) are now medical doctors and lawyers. May God continue blessing you and all your family.

To my mother-in-law, Barbara McAllister, who taught me the different types of food from her culture and broadened my horizon to Southern cooking. I thank you for sharing many of your recipes with me. Now I can make an authentic peach cobbler from the South. It is awesome! You raised a beautiful son and I love you.

To my Spanish editor and best friend since college, Lirsa Pabón. I cannot believe that it has been 40 years that we have been friends. I consider you like a sister. Thank you for flying to Indiana (for the third time) to edit the Spanish version. We worked hard, ate and laughed a lot. I will cherish our time spent together as teenagers and as adults in Puerto Rico. We have been there for each other. We Latin women do everything with a passion and I love my culture for that. I also appreciate you assisting me by taking the pictures with my camera of the produce that I requested in Puerto Rico. You are a true friend.

INDEX

Calabaza

Calabaza

AIDA'S KITCHEN
A LO BORICUA

www.aidaskitchenboricua.com

AIDA'S KITCHEN
A LO BORICUA

Libro Bilingüe de Cocina Puertorriqueña
42 Recetas Clásicas y Contemporáneas de la Cocina Puertorriqueña

Aida Lugo McAllister

Fotógrafo de la Comida por Aida Lugo McAllister
Fotógrafo de la Portada y del Autor por Aspen Studios

Corporate Graphics
1750 Northway Drive
North Mankato, MN 56003

Diseño de Libro: JWM Marketing & Web Design, Inc. - Jared McCart (www.jwmmarketing.com)
Fotógrafo de la Portada: Aspen Studios (www.aspenstudios.net)
Fotógrafo de la Comida: Aida Lugo McAllister
Fotos de Puerto Rico cortesía de Lirsa Pabón

Editoras: Sra. Lirsa Pabón
          Dra. Carmen Noelia Lugo, Ed. D.

Impreso en los Estados Unidos de América

10   9   8   7   6   5   4   3   2   1

Catalogación de la Biblioteca del Congreso

ISBN: 978-0-9896213-0-4

DEDICATORIA

Este libro es dedicado a mi padre, Vicente Lugo Lozada, quien falleció unos meses antes de completar este libro de cocina. Siempre te amaré y siempre valoraré el tiempo que pasamos juntos.

Este libro, también, es dedicado a mi tío, Agripino Lugo Lozada, quien falleció y me crió en Puerto Rico y me trató como una hija. Él fue mi tío favorito y compartimos muchos viajes juntos en la Isla de Puerto Rico.

CONTENIDO

INTRODUCCIÓN

Dicen que para conquistar el amor del hombre se entra por el estómago – ¿será cierto? Para enterarse continúe leyendo. La mayoría de las recetas de este libro de cocina son preparadas para crear una versión saludable de la comida puertorriqueña. Si las recetas de este libro contienen semejanzas a otras recetas, es simplemente una coincidencia.

Decidí tomar las fotos de cada receta porque quería demostrar exactamente cómo se sirve la comida en los hogares de Puerto Rico. Por ejemplo, las habichuelas se sirven por encima del arroz o por el lado. Escogí platos con muchos colores y manteles individuales (place mats) atractivos a la vista para la presentación de la comida.

Recomiendo hacer con anterioridad algunos procedimientos de la receta para reducir el tiempo en la preparación de su plato favorito. Por ejemplo, las viandas se pueden mondar, cortar en trozos (según la receta) y ponerlas en bolsas de sellar al vacío y almacenar en el congelador para uso futuro. Cuando quiero cocinar viandas o sancocho, saco la bolsa del congelador y preparo la comida. Ahorro el tiempo de mondar y cortar las viandas. Todo lo que se puede congelar, lo congelo. Congelo dos tipos de calabaza – América del Norte y del Caribe. Cuando deseo preparar un "pie" de calabaza, saco un envase plástico con la calabaza previamente molida del congelador. Si deseo habichuelas guisadas, saco la bolsa con la calabaza del Caribe ya mondada y cortada en pedazos. A estas bolsas o envases plásticos para congelar se le escribe la fecha con el día exacto en que se almacenó la comida en el congelador.

Aprendí a cocinar a la edad de 12 años. Mi madre empezó a trabajar para que yo pudiera ir a la universidad cuando me graduara de la escuela superior. Mi padre pensó que ésta era la mejor oportunidad para yo aprender a cocinar – especialmente cuando se esperaba que la mujer estuviera casada a una edad joven. Preparaba la comida en casa todos los días hasta que me gradué de la escuela superior. Como no podía tener novio, el cocinar fue mi pasión.

Cuando tenía 9 años de edad, mi madre me llevaba a la biblioteca semanalmente y yo escogía libros para leer (me gusta leer). Un día saqué un libro de cocina para niños. Preparé un tomate relleno de atún y preparé un "pie" de melocotón. Mi padre comía arroz y habichuelas todos los días como buen puertorriqueño que era – él casi no comía comida americana. Cuando le serví el tomate relleno con atún, él se lo comió y me dijo que estaba bueno. Unas semanas después, mi madre me dijo, cuando estábamos caminando hacia la biblioteca, que mi padre le dijo que si yo iba a sacar un libro de cocina que fuera un libro para preparar postres solamente. Él era un padre muy bueno. Aunque no le gustaba el tomate relleno, se lo comió porque quien se lo preparó fui yo.

Al graduarme de escuela superior, decidí vivir en Puerto Rico. Quería aprender de nuestras costumbres y cultura. Empecé a trabajar en una refinería en Yabucoa, Puerto Rico. Tenía la suerte de quedarme con mi familia quienes eran muy educados y viajaban por todo el mundo. Nosotros viajamos por toda la Isla de Puerto Rico y visitamos cada pueblo. Me enamoré de la naturaleza y especialmente de la comida. Cuando comí mis primeros "pasteles" en Puerto Rico, me sorprendí porque tenían pasas y estaban envueltos en hojas de plátano. En Indiana preparaban los pasteles sin pasas y envueltos en papel de aluminio. Hay una gran diferencia en el sabor y la textura. Después de vivir en Puerto Rico, me di cuenta que algunas comidas preparadas en Indiana no estaban cocidas como las comidas auténticas de Puerto Rico. Esto era así, por la falta de productos disponibles durante

el tiempo de 1950 hasta 1970 en Indiana. Hoy tenemos muchas tiendas latinas debido al crecimiento de la población latina y los adelantos en la transportación.

Después de trabajar por un año completo, decidí matricularme en la Universidad de Puerto Rico. Me gradué con un Bachillerato en Educación Comercial. Durante los recesos vacacionales de la Universidad, viajaba por todo Puerto Rico y las demás islas del Caribe, incluyendo Sur América. Cuando me quedé en la República Dominicana por 5 días, estaba muy contenta porque servían tostones y arroz con camarones (uno de mis platos favoritos). Me sentía que estaba comiendo en mi casa en Puerto Rico. Lo que más me gustaba era que todas las mañanas preparaban una batida hecha de las frutas frescas de mi predilección. ¡Qué divina! La fruta que escogía era la papaya. Era tan maravilloso ver las mismas frutas y vegetales que consumía en Puerto Rico preparados de forma diferente en otras islas.

Regresé a Indiana y trabajé como maestra de escuela superior. Constantemente invitaba a mi familia y a mis amistades a cenar comida auténtica de Puerto Rico. Empecé a comprar muchos libros de cocina. Aprendí a cocinar comida china, italiana, griega y americana. Por fin, se me presentó un joven y me casé a la edad de 23 años. Me sentía muy contenta de poder cocinar para mi esposo – especialmente porque era puertorriqueño. Tiene que entender que no me permitían salir con muchachos en la escuela superior y nunca tuve la oportunidad de salir con ningún estudiante en la Universidad en Puerto Rico – nadie me invitó a salir. Recuerdo a mi prima en Puerto Rico diciéndome que para conquistar el amor del hombre se entra por el estómago. Yo creía que eso era parte de nuestra cultura.

Me matriculé en la Universidad de Indiana para estudiar la maestría. También, estaba trabajando a tiempo completo, pero podía preparar la comida todos los días. Mi esposo, sin embargo, mostraba una actitud indiferente hacia mi comida. Me parecía oír la voz de mi prima – que para conquistar el amor del hombre se entra por el estómago; horneaba pan para agradar a mi esposo. Me sentí tan decepcionada. Al fin y al cabo, el matrimonio duró dos años. Me prometí no volver a contraer matrimonio.

Cuando terminé la maestría, tomé clases de cocina, vitrales y acolchado. No pasé la clase de vitrales ni la de acolchado. Fui la única estudiante en la clase de vitrales que no terminó de cortar el vidrio en pedazos. No tengo la destreza de cortar el vidrio, pero siento respeto por la creación del arte de hacer vitrales.

Los instructores de mis clases de cocina eran chefs de los restaurantes locales. Viajé a Europa, Canadá, México y la mayor parte de los Estados Unidos con mis amistades para aprender de las distintas culturas y comidas. Cuando estuve en Italia, ordené una pizza. Quería tener la experiencia de comer una pizza auténtica en Italia. La masa estaba cortada redonda de 7 pulgadas. Le pasaron una salsa de tomate por encima y queso. Esperaba inicialmente una pizza con todos los ingredientes como se preparan en los Estados Unidos. El señor me informó que en Italia la pizza se sirve en esa forma. Estaba muy contenta porque estaba comiendo una pizza auténtica de Italia. Era muy simple pero sabrosa. Por eso me gusta viajar para aprender distintas costumbres, culturas y comidas.

Acepté una oferta de empleo de una compañía farmacéutica en Puerto Rico. La mayoría de mis amistades de la Universidad estaban casadas y con hijos, por lo que regresé a Indiana y continué cocinando para mis amigos y familiares. Siempre fui conocida por cocinarle a las personas que venían en mi casa. Mi amiga, Itsia, un día me dijo que si yo tuviera solamente dos latas en la alacena todavía podía hacer una comida buena. Anhelaba siempre tener mi propio restaurante.

Cambié mi carrera y esta vez, obtuve otro Grado de Bachillerato en Contabilidad en la Universidad de Indiana. Durante este período, quise darle otra oportunidad al amor. De nuevo mi comida no fue valorizada y terminé los compromisos amorosos. Me propuse jamás cocinarle a ningún hombre. Quise escribir un libro de cocina porque siempre estaba enseñando o explicando a mis amistades cómo cocinar distintas clases de comidas.

Hacía varios años que trabajaba como contador en una compañía de acero. Estando en mi casa una noche, recibí una llamada de un compañero de trabajo para invitarme a salir. Yo tenía 41 años de edad. Lo traté con una actitud de indiferencia (no sabía que él era todo un caballero). Si me llamaba y estaba disponible, salía con él. Como él ignoraba que había tomado la decisión de no cocinarle a ningún hombre, pensó para sí mismo que yo era otra mujer que no sabía cocinar. Me llevaba a comer a diferentes restaurantes y yo me lo estaba gozando todo. Noté que de verdad estaba muy interesado en mí.

Un día me invitó a comer en su casa. Después de comer, me preguntó si quería casarme con él (sólo llevábamos dos meses saliendo). Cuando estábamos caminando por el vecindario, me preguntó que si el mes de junio era un buen mes para casarnos. Le pregunté de qué año y me respondió de este año – dentro de un mes y medio. Me asusté y salí corriendo al carro y me fui a casa, dejándolo solo en la calle. Llamé a mi madre y le conté que Henry quería casarse conmigo después de unos meses de salir. Ella me dijo que le dijera que sí y me preguntó por qué yo le tenía tanto miedo a casarme. Me dijo que sabía que él era un buen hombre. Lo llamé y le dije que mi madre había dicho "sí." Nos casamos en Las Vegas el 14 de junio de ese año – por poco no llego al altar por el terror al matrimonio.

Cuando regresamos a la casa, le dije que tenía que confesarme. Le indiqué que sabía y me gustaba cocinar. Él estaba muy contento y me confesó que quería ser chef, pero decidió matricularse en el programa de ingeniería eléctrica en la Universidad de Purdue.

Hemos estado casados por 19 años y es mi compañero del alma. Hemos viajado por muchos sitios y degustado diferentes comidas. La cocina ha sido el lugar donde pasamos la mayoría del tiempo juntos. Estamos constantemente ojeando libros de cocina y experimentando nuevas recetas. A mi esposo irlandés, Henry, le encanta la comida puertorriqueña. Le gusta tanto que aprendió a cocinar la mayoría de las comidas – incluyendo los pasteles. Cuando tenemos visitas, él ayuda con la tarea de la cocina como, también, sirviendo la comida – hasta me ayuda a limpiar.

En Puerto Rico, se dice que para conquistar el amor del hombre se entra por el estómago – ¿será cierto? Solamente si encuentra la persona idónea para usted.

Panapén

INGREDIENTES ESPECIALES

Ajíes Dulces (Sweet Peppers - Capsicum Chinense) - son pimientos dulces pequeños de color verde brillante que crecen en Latinoamérica y las regiones del Caribe. Los ajíes cambian de color amarillo, anaranjado y rojo si se dejan mucho tiempo en la planta. Estos son un poco parecidos a los pimientos habaneros en apariencia, pero son dulces con un aroma y sabor herbario único. Los ajíes dulces se utilizan como un ingrediente para dar sabor a las comidas y son indispensables para lograr el sofrito básico en la comida puertorriqueña.

Panapén (Breadfruit) - se cultiva solamente en las regiones tropicales como el Caribe, el Sudeste Asiático y en las Islas del Pacífico. La fruta del árbol es grande, por lo general en forma ovalada y de seis a ocho pulgadas de largo. La cáscara es de color verde. A veces tienen manchas que pueden ser en tonalidades rojas morenas y tienen un patrón irregular polígono. Cuando se maduran, la cáscara tiende a ser de un color más amarillo. La pulpa del panapén contiene mucho almidón y tiene una fragancia aromática única. El panapén se usa como un vegetal y comúnmente se hierve, aunque se puede hornear, asar o freír.

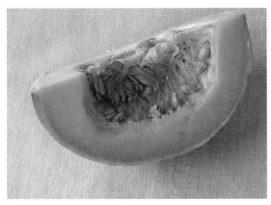

Calabaza (West Indian Pumpkin) - la calabaza es redonda, se cultiva en el Caribe, Centro y Sur América. El color de la cáscara puede variar y puede incluir colores de verde, rojo, anaranjado y moreno. La pulpa de la calabaza es firme y de color anaranjado brillante con un sabor dulce similar a la calabaza de "butternut" y de bellota.

Ñames (Caribbean Yams) - son tubérculos tropicales con cáscara relativamente fina. La pulpa contiene mucho almidón, mayormente se cocina y es tan versátil como la papa. En Los Estados Unidos los ñames (yams) son confundidos a veces con las batatas dulces (yams), y no están relacionadas con el ñame verdadero. La cáscara de las batatas dulces tiene un color anaranjado rojo oscuro y la pulpa con color anaranjado claro. La cáscara del ñame tiene un color marrón oscuro con una superficie áspera. La pulpa es de color blanca o amarilla.

Plátanos (Plantains) - pertenecen a la familia de los guineos, pero son más largos, gruesos, duros y tienen más almidón que los guineos. El plátano se puede preparar y comer en las distintas etapas de su madurez. El plátano verde es muy firme y se puede hervir o freír. Se usa como vegetal. También, se puede rallar y usarse como un ingrediente en diferentes recetas. Se torna amarillo y un poco dulce cuando está maduro. Se puede hornear o freír y servirlo como acompañante de la comida. Cuando la cáscara se pone negra, pero todavía permanece firme, el plátano está bien maduro y dulce. Se puede usar en recetas dulces y sabrosas.

Yuca (Yucca) - frecuentemente se refiere a la cassava. Es tubérculo que mide alrededor de 2 a 4 pulgadas de diámetro y 6 a 12 pulgadas de largo con puntas afiladas. Tiene una cáscara oscura y dura que protege la firme carne blanca que contiene mucho almidón. En el centro tiene una fibra dura que corre a lo largo de la yuca. Esta vianda es tan versátil como la papa que se puede hervir, majar, freír, guisar o rallar y ser utilizada como ingrediente en diferentes recetas.

Yautía (Taro Root) - es un tubérculo tropical, contiene mucho almidón, la cáscara es oscura y enmarañada. Se monda y se cocina generalmente igual que la papa. Hay yautías blancas, amarillas y lilas.

Culantro/Recao (Coriander) - es una especia fragante herbaria, se siembra y se usa mayormente en el Caribe, Centro y Sur América y muchos países asiáticos. En los Estados Unidos, el culantro lo confunden a menudo con el cilantro. Hay semejanza en el olor y sabor del culantro y el cilantro. Puede substituirse uno por el otro en la comida, pero el culantro tiene un sabor más fuerte.

Sobrecito de sazón con culantro y achiote - es una combinación especial de diferentes condimentos (hierbas y especias) que se usa para dar color y sabor a los platos tropicales. Los ingredientes más comunes son: **culantro, achiote, ajo, sal y comino**. Los sobrecitos de sazón se pueden comprar en las tiendas latinas. Si no se logra comprar los sobrecitos de sazón, mezcle bien en un envase 1 cucharadita de culantro molido, 1 cucharadita de ajo en polvo, ½ cucharadita de sal (baja en sodio), ⅛ cucharadita de comino molido y 4 cucharaditas de paprika. Cuando la receta especifica sobrecitos de sazón con culantro y achiote como uno de los ingredientes, agregue 1½ cucharaditas de la mezcla de sazón por cada sobrecito indicado.

Productos del Comerciante Local

ACEITE CON ACHIOTE
(Annatto Oil)

El aceite con achiote se hace de las semillas del achiote, una semilla seca de color rojo oxidado, del árbol de América tropical (Bixa Orellana). Se usa para dar color a muchos platos tropicales. En la generación de mis padres, ellos usaban el aceite con achiote para todos los platos que era necesario dar color.   Nosotros hoy usamos los sobrecitos de sazón con culantro y achiote o paprika (una especia) para dar color y sabor a la majoría de los platos tropicales. En este libro de recetas, el aceite con achiote se usa solamente cuando se preparan las alcapurrias y los pasteles.

2 tazas de **aceite de oliva extra virgen** | ¾ taza de **granos de achiote**

MÉTODO

PASO 1   En una olla de 1 cuartillo, caliente el aceite de oliva a fuego bajo. Agregue los granos de achiote. Mezcle bien. Cueza a fuego bajo por 2 ó 3 minutos o hasta que el aceite tenga un color anaranjado rojo. No caliente demasiado.

PASO 2   Retire del fuego. Cuando se enfríe un poco, cuele cuidadosamente en un envase mediano el aceite en un tamiz de malla fina. Descarte las semillas de achiote usadas.

2 tazas

SOFRITO
(Puréed Condiments)

El sofrito es una combinación de hierbas y vegetales (ajo, cebolla, ají dulce, pimiento verde, culantro) que se sofríe en una base de aceite con achiote y salsa de tomate. El sofrito se usa para guisar arroz, habichuelas, carnes y sopas. Es el condimento básico que usamos para que le dé el sabor único a nuestra comida criolla - especialmente los ajíes dulces y el culantro. Se pueden moler los ingredientes en el procesador de alimentos y se congelan en un envase plástico para usos futuros. Si no puede conseguir culantro, substitúyalo con cilantro.

Siembro mis propios ajíes dulces, cilantro, culantro y pimientos verdes. Cuando remuevo las semillas de los ajíes dulces, las envuelvo en una toalla de papel y las pongo en una bolsa plástica. Al final del mes de marzo, siembro las semillas en varios tiestos pequeños dentro de la casa cerca de una ventana donde entra suficiente luz solar durante el invierno. El fin de semana del Día de la Recordación (Memorial Day), transplanto las plantitas de ajíes dulces en varios tiestos grandes y los coloco en el balcón de atrás de la casa. Tengo suficientes ajíes dulces para el año completo porque los congelo en bolsas de sellar al vacío. No hay nada como preparar una comida casera con ajíes dulces frescos. Se pueden comprar los ajíes dulces en la mayoría de las tiendas latinas.

Cuando las recetas en este libro especifica cucharadas de "sofrito" como uno de los ingredientes, se refiere a los siguientes hierbas y vegetales molidos en el procesador de alimentos.

INGREDIENTES

2 cabezas de ajo
½ libra de cebolla
1 libra de pimiento verde
½ libra de ajíes dulces (véase página 12)

40 hojas de culantro (véase página 14) o 2 mazos de cilantro* fresco

2 envases plásticos con tapa

*Use culantro o cilantro para hacer el sofrito.

MÉTODO

PASO 1 Pele los dientes de ajos y las cebollas. Corte cada cebolla en cuatro pedazos. Corte los pimientos verdes en pedazos grandes y descarte las semillas y el centro. Corte los ajíes dulces por la mitad y descarte las semillas. Corte un poco los tallos del culantro o cilantro. Lave los ajos, las cebollas, los pimientos verdes, los ajíes dulces y las hojas de culantro o de cilantro.

PASO 2 Eche las cebollas y los pimientos verdes en el procesador de alimentos y muélalos bien. Vierta en un recipiente grande. Eche los ajos, ajíes dulces y culantro o cilantro en el procesador de alimentos. Muélalos bien. Vierta en el mismo recipiente juntos con las cebollas y los pimientos verdes. Con una cuchara de madera, mueva hasta que los ingredientes se mezclen bien.

PASO 3 Vierta el puré de condimentos (sofrito) en los envases plásticos. Tápelos y congélelos. Si cocina diariamente comida puertorriqueña, mantenga un envase del condimento básico en la nevera.

 Si desea preparar una porción menor de este sofrito para usarlo por cucharadas según lo indique cada receta, mezcle en un envase los siguientes ingredientes: 1 diente de ajo molido, 1 cucharada de cebolla picadita, 2 cucharadas de pimiento verde picaditos, 1 cucharada de ají dulce picadito y 2 hojas de culantro o 3 ramitas de cilantro picaditas.

40 onzas

VINAGRE
(Spiced Vinegar)

La comida puertorriqueña es sabrosa y tiene bastante sazón, pero sin ser caliente y picante. Preparamos vinagre de ajíes picantes y lo servimos en la mesa para el que quiera comer su comida con pique. Solamente hay que echarle unas gotas del vinagre a la comida para darle un pique sabroso.

INGREDIENTES

20 **ajíes** picantes
5 **dientes de ajo**, pelados
1 taza de **aceite de oliva extra virgen**

½ taza de **vinagre blanco**
¼ cucharadita de **orégano** (opcional)
1 **frasco de cristal** con tapa de 16 onzas

MÉTODO

PASO 1 Es muy importante usar guantes porque los ajíes son muy picantes. Lave los ajíes picantes. Corte 4 ó 6 ajíes picantes por la mitad. No descarte las semillas porque las semillas son las que le dan el pique al vinagre. Eche los ajíes picantes en un frasco y agregue los ajos, aceite, vinagre blanco y orégano. Si desea el vinagre con más pique, corte más ajíes picantes.

PASO 2 Póngale la tapa al frasco y cierre bien. Agite el frasco para mezclar bien los ingredientes. Déjelo 7 ó 10 días antes de usarlo para mejor sabor.

PASO 3 Mueva el vinagre antes de usar.

12 - 14 onzas

HABICHUELAS SECAS COCIDAS
(Cooked Dry Beans)

Cocino muchos platos con habichuelas - como habichuelas guisadas, sopa de habichuelas negras, un "burger" de habichuelas, tostadas de habichuelas, etc. Yo no comía mucha carne de niña. Aprendí a comer muchos mariscos en la Isla de Puerto Rico. Sin embargo, me gustan los pastelillos y las alcapurrias con carne.

Cocino distintas clases de habichuelas secas y las mantengo congeladas en bolsas plásticas para uso futuro. Cuando tengo que preparar una comida que incluye habichuelas, ya las tengo cocidas y congeladas. No le echo la sal cuando cocino las habichuelas. Le añado la sal según el plato que estoy preparando. Me crié consumiendo muy poca sal y por eso preparo los platos casi sin sal. Véase la receta Pollo en Fricasé. Es preparado sin sal. Cuando les informo a mis invitados que el Pollo en Fricasé no tiene sal, no me lo pueden creer.

1 libra de **habichuelas secas** de su preferencia (habichuelas coloradas, pintas, negras, etc.)* | 3 **bolsas plásticas** (32 onzas cada una) para congelar

*Algunos paquetes de habichuelas secas tienen las instrucciones para cocinarlas.

MÉTODO

PASO 1 Lave las habichuelas y escójalas. Colóquelas en un envase grande. Vierta suficiente agua que cubra las habichuelas completamente y remójelas durante la noche.

PASO 2 Lave las habichuelas y colóquelas en una olla de 4 cuartillos. Agregue suficiente agua para que cubra por lo menos 2 pulgadas sobre las habichuelas. Ponga a hervir y reduzca el fuego a moderado bajo. Cubra la olla con una tapa y cueza hasta que las habichuelas estén tiernas, aproximadamente 1-1½ horas. Remueva la tapa y deje enfriar.

PASO 3 Mida 4 tazas de habichuelas cocidas con líquido y cuidadosamente échelas en las bolsas de congelar. Selle las bolsas y manténgalas en el congelador para uso futuro.

96 onzas

SANCOCHO
(Puerto Rican Beef Stew)

El sancocho es muy parecido al "beef stew" de los Estados Unidos. Cocinamos este plato con distintas viandas en lugar de papas solamente. En Puerto Rico, el sancocho se sirve con bollitas de plátanos. Compro bastante viandas en la tienda latina. Las congelo en bolsas de sellar al vacío después de mondarlas y cortarlas según la receta. Cada bolsa de sellar al vacío contiene la cantidad exacta de las viandas para el sancocho. Cuando deseo cocinar el sancocho, sólo tengo que agregar los condimentos porque las viandas ya están listas para cocinar.

10 tazas de **agua**

1 cucharada de **sal** (baja en sodio) o a su gusto

1 libra de **carne de res** (beef stew), cortada en cubitos de 1 pulgada

1 cucharada de **aceite de oliva extra virgen**

2 sobrecitos de sazón con **culantro** y **achiote** (véase página 14)

3 **dientes de ajo**, pelados y molidos

2 cucharadas de **salsa de tomate**

3 **ajíes dulces** (véase página 12), sin semillas y cortados por la mitad

3 ramitas de **cilantro** fresco, picaditas

¼ taza de **cebolla**, pelada y picadita

¼ taza de **pimiento verde**, sin centro, sin semillas y picadito

2 **mazorcas de maíz**, cortadas en ruedas de 1 pulgada

Viandas:

½ libra de **yautía** (véase página 14), mondada y cortada en trozos de 1 pulgada

½ libra de **ñame** (véase página 13), mondado y cortado en trozos de 1 pulgada

½ libra de **yuca** (véase página 13), mondada y cortada en trozos de 1 pulgada*

1 **papa** mediana, mondada y cortada en trozos de 1 pulgada

1 **plátano verde** (véase página 13), pelado y cortado en trozos de 1 pulgada

4 onzas de **calabaza** (véase página 12), mondada, sin semillas y sin hebras, cortada en trozos de 1 pulgada

Bollitas de Plátano (Opcional):

2 **plátanos verdes** grandes, pelados

¼ cucharadita de **sal** (baja en sodio) o a su gusto

2 cucharadas de **leche descremada**

1 **diente de ajo**, pelado y molido

*Saque la fibra gruesa que tiene la yuca en el centro.

MÉTODO

PASO 1 En una olla de 4 cuartillos, hierva 10 tazas de agua. Añada la sal y mezcle bien. Lave la carne y quítele el exceso de grasa. Ponga la carne en la olla. Tape la olla y cueza a fuego moderado por 20 minutos.

PASO 2 Destape la olla y agregue el resto de los ingredientes *menos las viandas y las bollitas de plátano*. Mezcle bien. Tape la olla y cueza a fuego lento por 5 minutos.

PASO 3 Lave las viandas y échelas en la olla. Tape la olla y cueza a fuego moderado bajo por 40 minutos o hasta que las viandas estén tiernas. Cuando el sancocho esté casi listo para servir, prepare las bollitas de plátano si las desea. Ralle los plátanos verdes por el lado más fino del rallador en un recipiente. Añada la sal, la leche y el ajo. Mezcle todo bien. Destape la olla y ponga la masa de plátanos por cucharadas por encima del caldo. Tápela y cueza a fuego moderado bajo por aproximadamente 7 minutos. Voltee las bollitas de plátano y cueza por 7 minutos más o hasta que estén cocidas.

6 porciones

SOPA DE POLLO CON FIDEOS
(Chicken Noodle Soup)

Me encantan las sopas - especialmente la sopa de pollo con fideos. Cuando mis amistades o familia tienen algun problema o enfermedad, aquí vengo yo con una olla de sopa de pollo con fideos. Mi amiga, Louise, y yo trabajábamos juntas en Chicago. Le hicieron un procedimiento pequeño en el hospital y yo tenía que recogerla y llevarla a su casa. El día anterior, yo preparé una sopa de pollo con fideos. Tomé el tren desde mi casa en Indiana a Chicago con la olla de sopa. Trabajé el día entero y esperé su llamada para decirme que le dieron de alta del hospital. Llegué en carro público al hospital con mi sopa de pollo con fideos y por fin, la llevé a su casa. Me quedé en su casa esa noche para cuidarla y asegurarme que ella comiera de la sopa de pollo con fideos de comida. Después de 23 años de amistad, un día ella me llamó y yo no me sentía bien. Ella inmediatamente vino a mi casa desde Chicago a Indiana por tren y se quedó unos días conmigo. Cuando se murió mi papá, ella vino al velorio y hablamos mucho de esa sopa de pollo con fideos que dio tantos viajes.

INGREDIENTES

14 tazas de **agua**

2 cucharaditas de **sal** (baja en sodio) o a su gusto

3 **pechugas de pollo**, sin piel y sin hueso

1 **pimiento verde** grande, sin centro, sin semillas y cortado en tiras

½ taza de **cebolla**, pelada y picadita

¾ taza de **zanahoria**, cortada en rebanadas de ½ pulgada

2 **papas** medianas, mondadas y cortadas en trozos de 1 pulgada

2 sobrecitos de sazón con **culantro** y **achiote** (véase página 14)

2 **dientes de ajo**, pelados y molidos

3 ramitas de **cilantro** fresco, picaditas

4 **ajíes dulces** (véase página 12), sin semillas y cortados por la mitad

1 cucharada de **salsa de tomate**

3 onzas de **fideos finos de harina integral**

MÉTODO

PASO 1 En una olla de 4 cuartillos, hierva 14 tazas de agua. Añada la sal y mezcle bien. Lave las pechugas de pollo y colóquelas en la olla. Tape la olla y cueza a fuego moderado bajo por 20 minutos.

PASO 2 Saque las pechugas de pollo de la olla y córtelas en pedazos medianos. Agregue los pedazos de pollo y el resto de los ingredientes en la olla *menos los fideos*. Mezcle todo bien. Tape la olla y cueza a fuego moderado por 20 minutos.

PASO 3 Con las manos, parta los fideos por la mitad y agréguelos a la olla. Mezcle bien todo y tape la olla. Cueza a fuego moderado por 20 minutos o hasta que los fideos, zanahorias y papas estén blandos.

Se sirve con pan o tostones.

8 porciones

ASOPAO DE CAMARONES

(Soupy Rice with Shrimp)

El asopao es una especie de sopa que se espesa con el arroz y que tiene una textura muy cremosa. Lo encuentro muy similar al risotto o al gumbo. El asopao se prepara con pollo, gandules verdes o mariscos. Cuando yo salía para la Playa de Luquillo (Puerto Rico) con mis amigas los fines de semanas, se cocinaba una olla de asopao tarde en la noche.

INGREDIENTES

½ taza de **jamón bajo en grasa**, cortado en pedacitos

1 cucharadita de **sal** (baja en sodio) o a su gusto

10 **aceitunas rellenas con pimientos**, cortadas por la mitad

2 cucharadas de **alcaparras**, escurridas

2 cucharadas de **aceite de oliva extra virgen**

2 sobrecitos de sazón con **culantro y achiote** (véase página 14)

2 **dientes de ajo**, pelados y molidos

4 **ajíes dulces** (véase página 12), sin semillas y cortados por la mitad

1 **pimiento verde**, sin centro, sin semillas y cortado en tiras

1 **cebolla** mediana, pelada y picadita

2 cucharadas de **salsa de tomate**

3 ramitas de **cilantro** fresco, picaditas

2 **hojas de laurel**

1 lata (8.5 onzas) de **guisantes verdes**, escurridos

1 libra de **camarones** limpios, con la cola

6 tazas de **agua**

1 taza de **arroz blanco grano largo**

MÉTODO

PASO 1 En una olla de 4 cuartillos, agregue los ingredientes *menos los camarones, el agua y el arroz*. Ponga la olla a fuego bajo y sofríalos por 10 minutos, moviéndolos ocasionalmente con una cuchara de madera.

PASO 2 Lave los camarones. Agréguelos en la olla y sofríalos por 2 minutos. Añada el agua y deje que hierva. Agregue el arroz y mezcle bien. Tape la olla y cueza a fuego moderado por 5 minutos. Reduzca a fuego bajo y cueza por 20 minutos o hasta que el arroz esté blando y el asopao quede espeso a su gusto. Mueva ocasionalmente. Saque las hojas de laurel.

Sirva con tostones.

8 porciones

BISTEC ENCEBOLLADO

(Beef Round Steak with Onions)

Bistec Encebollado con Tostones

Tengo muchos recuerdos de mi mamá, Genoveva, en la cocina preparando bistec de res. Ella le quitaba la grasa, cortaba la carne a ¼ pulgada de espesor y le daba golpes a la carne con la maceta del ablandador de carne por ambos lados. Hoy se compra la carne sin grasa y cortada a ¼ pulgada de espesor, ahorrando mucho tiempo en la preparación.

INGREDIENTES

1½ libras de **bistec** (beef round steak), sin hueso y cortada en rebanadas de ¼ pulgada de espesor

2 **cebollas** grandes, peladas y cortadas en rebanadas
1 cucharada de **aceite de oliva extra virgen**

Adobo:

2 cucharadas de **aceite de oliva extra virgen**
1 cucharada de **vinagre blanco**
4 **dientes de ajo**, pelados y molidos

2 cucharaditas de **sal** (baja en sodio) o a su gusto
¼ cucharadita de **pimienta**

MÉTODO

PASO 1 Mezcle los ingredientes para el adobo en un recipiente. Lave las rebanadas de carne y quítele el exceso de grasa. Dele golpes por ambos lados con la maceta del ablandador de carne. Si compras la carne ya ablandada, omite el paso de darle golpes a la carne. Eche la carne en un recipiente y adóbela. Cubra el recipiente y manténgala en la nevera por 4 horas.

PASO 2 Caliente 1 cucharada de aceite de oliva en un sartén de 12 pulgadas a fuego moderado bajo. Agregue la carne y coloque las cebollas por encima de la carne. Cueza tapado a fuego lento por 15 minutos. Voltee la carne por el otro lado y cueza tapado por otros 15 minutos o hasta que la carne esté blandita. Sirva la carne con las cebollas y échele por encima el juguito que soltó la carne y las cebollas.

Esta comida es normalmente acompañada con arroz blanco, habichuelas guisadas y tostones.

4 porciones

CHULETAS EMPANADAS AL HORNO

(Baked Breaded Pork Chops)

Chuletas Empanadas al Horno con Amarillos

En Puerto Rico las empanadas son cortes de carne (pollo, carne de cerdo o de res) pasadas por huevos batidos y luego pasados por pan o galletas molidas. Normalmente las empanadas se fríen, pero yo prefiero hornearlas.

6 **chuletas** con hueso, ½ pulgada de espesor, quítele el exceso de grasa

4 **huevos** grandes
1 taza de **pan molido** sencillo

Adobo:

2 cucharadas de **aceite de oliva extra virgen**
1 cucharada de **vinagre blanco**
2 **dientes de ajo**, pelados y molidos
¼ cucharadita de **sal** (baja en sodio) o a su gusto

¼ cucharadita de **pimienta**
½ cucharadita de **comino**

Aceite de oliva extra virgen para engrasar los moldes

MÉTODO

PASO 1   Precaliente el horno a 350°F.

PASO 2   Lave las chuletas y póngalas en un recipiente. En otro envase, mezcle los ingredientes del adobo y viértalos sobre las chuletas. Cúbralo bien con el adobo. Tape el recipiente y manténgalo en la nevera por 4 horas.

PASO 3   Bata los huevos y póngalos en un envase llano. Eche el pan molido en otro envase llano.

PASO 4   Engrase levemente con aceite de oliva el fondo de dos moldes de 13 x 9 x 2 pulgadas. Saque las chuletas de la nevera. Pase ligeramente cada chuleta por los huevos batidos y cúbralos totalmente con el pan molido. Coloque las chuletas en los dos moldes y tápelos con papel de aluminio.

PASO 5   Póngalos en el horno por una hora o hasta que las chuletas estén bien cocidas. Remueva el papel de aluminio y déjalas por 10 minutos más hasta que se doren un poco.

Sirva con amarillos.

6 porciones

PERNIL DE CERDO AL HORNO

(Roasted Pork Shoulder)

El pernil se sirve con pasteles y arroz con gandules verdes especialmente durante la Época Navideña. Adobar el pernil el día anterior de hornear es la clave para un pernil sabroso y tierno. El cuero se sirve tostadito. Yo, también, preparo emparedados (sandwiches) cubanos con la carne que sobra del pernil asado.

1 **pernil de cerdo** con hueso de 8 – 9 libras

Adobo:

8 **dientes de ajo**, pelados y molidos
1 cucharada de **pimienta**
1 cucharada de **orégano**

8 cucharaditas de **sal** (baja en sodio)
2 cucharadas de **aceite de oliva extra virgen**
1½ cucharadas de **vinagre blanco**

MÉTODO

PASO 1 En un mortero muela con la maceta juntos el ajo, pimienta, orégano y sal. Agregue el aceite de oliva y vinagre blanco. Con la maceta del mortero, mezcle bien los ingredientes hasta que se forme una pasta.

PASO 2 Lave el pernil y séquelo con papel toalla absorbente. Coloque el pernil en un molde para asar con la parte de la grasa hacia arriba. Hágale unos cortes sobre el cuero de aproximadamente 1 pulgada.

PASO 3 Eche el adobo en los cortes y con el adobo sobrante, frote todo alrededor del pernil. Cubra el molde con una tapa y manténgalo en la nevera durante la noche.

PASO 4 Saque el molde de la nevera. Precaliente el horno a 350°F. Siempre utilizo un termómetro para carnes porque la carne de cerdo se debe cocer completamente. Introduzca el termómetro para carne en el centro del pernil sin tocar el hueso. Tape el molde y póngalo en el horno. Hornee hasta que el termómetro para carne registre la temperatura adecuada (170°F) para carne de cerdo. Si no usa un termómetro para carnes, hornee (30 minutos por cada libra) aproximadamente 4 - 4½ horas.

PASO 5 Destape el molde para tostar el cuero por lo menos 30 minutos o hasta que el cuero quede dorado y tostado a su gusto.

Sirva con pasteles y arroz con gandules verdes. Véase foto en la página 44.

12 porciones

EMPAREDADO CUBANO
(Cuban Sandwich)

Mi emparedado favorito es el cubano. Usando la carne sobrante del pernil asado es una manera excelente para preparar el emparedado cubano. Cuando estudiaba en la Universidad de Puerto Rico, aprovechaba los recesos entre las clases para ir a un restaurante en la plaza a comprar un emparedado cubano. Valía la pena esperar por el emparedado. Me fascina como cada cultura prepara su emparedado. No importaba qué clase de emparedado yo pedía en Puerto Rico, me lo calentaban en una tostadora de plancha y lo aplastaban. Hoy usamos la parilla a contacto "Panini Grill" para preparar el mismo tipo de emparedado que yo comía con mucho gusto en Puerto Rico.

2 **panes francés**, cortados en pedazos de 6 pulgadas de largo

4 cucharadas de **mostaza o mayonesa**

8 rebanadas finas de **jamón bajo en grasa**

1 libra de **pernil asado desmenuzado** (véase página 35)

8 rebanadas de **queso "Suizo"**

½ taza de **pepinillos agrios**, cortados en rebanadas

¼ taza de **margarina** (hecha con **aceite de oliva extra virgen**)

MÉTODO

PASO 1   Corte los panes por la mitad a lo largo. Unte mostaza o mayonesa a ambas mitades del pan. En una de las mitades coloque el jamón, la carne de cerdo desmenuzada, el queso y los pepinillos agrios. Cúbralos con la otra mitad del pan.

PASO 2   Caliente la tostadora (Panini Grill) a temperatura mediana (léase las instrucciones del fabricante). Unte margarina a las planchas. Coloque las cantidades de emparedados permitidos sobre la plancha inferior y ponga la plancha superior sobre los emparedados para aplastarlos y para tostarlos. Los emparedados están listos cuando el queso esté derretido y el pan dorado en ambos lados.

Si no tiene una tostadora (Panini Grill), lo puede tostar en una plancha o sartén grande a fuego bajo. Agregue margarina a la plancha o sartén caliente. Ponga los emparedados y los presiona con un sartén pesado para aplastarlos. Cuando se dore la parte de abajo de los emparedados, vírelos por el otro lado y tuéstelos. Los emparedados están listos cuando el queso esté derretido y el pan dorado en ambos lados.

4 emparedados de seis pulgadas

POLLO EN FRICASÉ

(Chicken Fricassée)

Yo preparo esta comida sin sal porque los vegetales y las especias le dan mucho sabor al pollo. Cuando le digo a mis visitas que no le eché sal a la comida, no lo pueden creer.

INGREDIENTES

2 tazas de **agua**

4 **pechugas de pollo**, sin piel y sin hueso

4 onzas de **jamón bajo en grasa**, cortado en pedacitos

3 **papas** mediana

3 cucharadas de **aceite de oliva extra virgen**

2 sobrecitos de sazón con **culantro** y **achiote** (véase página 14)

2 **dientes de ajo**, pelados y molidos

2 cucharadas de **salsa de tomate**

1 **pimiento verde** mediano, sin centro, sin semillas y cortado en tiras

1 **pimiento rojo** mediano, sin centro, sin semillas y cortado en tiras

1 **pimiento amarillo** mediano, sin centro, sin semillas y cortado en tiras

1 **cebolla** mediana, pelada y cortada en rebanadas finas

4 **ajíes dulces** (véase página 12), sin semillas y cortadas por la mitad

3 ramitas de **cilantro** fresco, picaditas

2 **hojas de laurel**

14 **aceitunas rellenas con pimientos**

2 cucharaditas de **alcaparras**, escurridas

1 lata (8.5 onzas) de **guisantes verdes**, escurridos

MÉTODO

PASO 1 En una olla de 4 cuartillos, hierva 2 tazas de agua. Lave las pechugas de pollo y colóquelas en la olla. Añada el jamón y cueza por 20 minutos a fuego moderado bajo.

PASO 2 Monde las papas. Corte las papas en cuatro pedazos y lávalos. Añádalas en la olla. Agregue el resto de los ingredientes, *menos los guisantes verdes*. Mezcle bien. Cuando hierva, reduzca a fuego lento. Tape la olla y cueza por 20 minutos o hasta que las papas estén tiernas. Añádale los guisantes verdes. Tape la olla y cueza por 10 minutos más.

PASO 3 Si desea la salsa más espesa, destape la olla y continúe cociendo a fuego moderado hasta que la salsa espese a su gusto.

Sirva con arroz blanco.

4 porciones

ARROZ CON POLLO

(Chicken with Rice)

El arroz con pollo es un plato popular entre las culturas latinas. Cada cultura latina tiene su propia receta y método de preparación. Esta receta se usa para preparar el arroz con pollo auténtico de Puerto Rico. Cuando preparamos este plato, nosotros normalmente usamos diferentes partes del pollo (pechugas de pollo, caderas, muslos, alitas, etc.) con la piel y el hueso. Sin embargo, yo preparo este plato con las pechugas de pollo sin la piel y sin el hueso - que es una versión más saludable. Si no desea la versión más saludable, substituya las pechugas de pollo (sin piel y sin hueso) con su presa favorita del pollo (con la piel y con el hueso) y disfrute la manera auténtica de cocinar el arroz con pollo puertorriqueño.

3 **pechugas de pollo**, sin piel y sin hueso

2 tazas de **agua**

1½ cucharaditas de **sal** (baja en sodio) o a su gusto

2 cucharadas de **aceite de oliva extra virgen**

2 sobrecitos de sazón con **culantro y achiote**
  (véase página 14)

2 **dientes de ajo**, pelados y molidos

2 cucharadas de **salsa de tomate**

2 cucharadas de **sofrito**, (véase página 19)

3 ramitas de **cilantro** fresco, picaditas

14 **aceitunas rellenas con pimientos**

2 cucharaditas de **alcaparras**, escurridas

2 tazas de **arroz blanco grano largo**

Adobo:

2 **dientes de ajo**, pelados y molidos

3 cucharadas de **aceite de oliva extra virgen**

1 cucharada de **vinagre blanco**

½ cucharadita de **sal** (baja en sodio)

¼ cucharadita de **pimienta**

MÉTODO

PASO 1 Corte las pechugas de pollo en pedazos de 1½ pulgadas. Lávelas y échelas en un recipiente. En otro envase, mezcle los ingredientes del adobo y viértalos sobre los pedazos de pollo. Cúbralos bien con el adobo. Cubra el recipiente con una tapa y manténgalo en la nevera por 4 horas o durante la noche.

PASO 2 En una olla de 3 cuartillos, añada los pedazos de pollo y agregue el resto de los ingredientes *menos el arroz*. Mezcle bien. Cubra la olla con una tapa que ajuste bien y cueza a fuego moderado bajo por 15 minutos.

PASO 3 Deje hervir y agregue el arroz. Con una cuchara de madera, mueva bien el arroz hasta que se mezcle con el líquido. Cuando el líquido en la olla comience a hervir, inmediatamente mueva el arroz y reduzca a fuego lento. Cubra la olla con la tapa y cueza por 15 minutos o hasta que se evapore todo el líquido.

PASO 4 Destape la olla. Cuidadosamente voltee el arroz, colocando una cuchara de madera en el borde inferior hasta el fondo de la olla, moviendo el arroz que está abajo hacia arriba. Tápelo y déjelo a fuego lento por 20 minutos o hasta que el arroz esté blando. Destape la olla y voltee el arroz de nuevo antes de servirlo.

6 porciones

ARROZ CON GANDULES VERDES Y COSTILLITAS DE CERDO

(Rice with Green Pigeon Peas and Pork Ribs)

Normalmente el arroz con gandules verdes se sirve con pernil. También se puede cocinar con otros cortes de carne de cerdo junto con el arroz. Las costillas de cerdo son las que yo prefiero usar para esta receta.

INGREDIENTES

1½ libras de **costillitas de cerdo**, cortar en costillitas individuales

1 lata (15 onzas) de **gandules verdes**

3 tazas de **agua**

½ cucharadita de **sal** (baja en sodio) o a su gusto

1 cucharada de **aceite de oliva extra virgen**

2 sobrecitos de sazón con **culantro y achiote** (véase página 14)

2 **dientes de ajo**, pelados y molidos

2 cucharadas de **salsa de tomate**

3 cucharadas de **sofrito**, (véase página 19)

3 ramitas de **cilantro** fresco, picaditas

4 **aceitunas rellenas con pimientos**, picaditas

2 cucharadas de **alcaparras**, escurridas

3 tazas de **arroz blanco grano largo**

Adobo:

2 **dientes de ajo**, pelados y molidos

2 cucharadas de **vinagre blanco**

3 cucharadas de **aceite de oliva extra virgen**

¼ cucharadita de **pimienta**

½ cucharadita de **sal** (baja en sodio)

MÉTODO

PASO 1 Lave las costillitas y póngalas en un recipiente. En otro envase, mezcle los ingredientes del adobo y viértalos sobre las costillitas. Cúbralos bien con el adobo. Cubra el recipiente con una tapa y manténgalo en la nevera por 4 horas.

PASO 2 En una olla de 4 cuartillos, añada las costillitas y dórelas a fuego moderado. Coloque los gandules verdes con el líquido que viene en la lata.   Agregue el resto de los ingredientes *menos el arroz*. Mezcle bien.

PASO 3 Deje hervir y agregue el arroz. Mueva bien el arroz con una cuchara de madera hasta que se mezcle con el líquido.   Cuando el líquido en la olla comience a hervir de nuevo, inmediatamente mueva el arroz y reduzca a fuego lento. Cubra la olla con una tapa que ajuste bien y cueza por 15 minutos o hasta que se evapore todo el líquido.

PASO 4 Destape la olla. Cuidadosamente voltee el arroz, colocando una cuchara de madera en el borde inferior hasta el fondo de la olla, moviendo el arroz que está abajo hacia arriba. Tápelo y déjelo a fuego lento por 20 minutos o hasta que el arroz esté blando. Destape la olla y voltee el arroz de nuevo antes de servirlo.

6 porciones

ARROZ CON GANDULES VERDES

(Rice with Green Pigeon Peas)

Arroz con Gandules Verdes, Pernil de Cerdo al Horno y Pasteles

Mi amiga, Lirsa, vivía en Canóvanas, Puerto Rico. Yo me quedaba en su casa algunos fines de semana. Ella y yo nos sentábamos por dos horas y desgranábamos los gandules frescos. Ella luego preparó un arroz con gandules frescos tan delicioso que todavía, después de más de 40 años, hablamos siempre de ese gran día. El arroz con gandules verdes se prepara a menudo durante la Época Navideña.

3 tazas de **agua**

1 lata (15 onzas) de **gandules verdes**

½ cucharadita de **sal** (baja en sodio) o a su gusto

4 cucharadas de **aceite de oliva extra virgen**

2 sobrecitos de sazón con **culantro y achiote** (véase página 14)

2 **dientes de ajo**, pelados y molidos

2 cucharadas de **salsa de tomate**

3 cucharadas de **sofrito**, (véase página 19)

3 ramitas de **cilantro** fresco, picaditas

4 **aceitunas rellenas con pimientos**, picaditas

2 cucharadas de **alcaparras**, escurridas

1 taza de **jamón bajo en grasa**, cortado en pedacitos (opcional)

3 tazas de **arroz blanco grano largo**

MÉTODO

PASO 1 En una olla de 3 cuartillos, ponga a hervir 3 tazas de agua. Coloque los gandules verdes con el líquido que viene en la lata. Agregue el resto de los ingredientes *menos el arroz*. Mezcle bien.

PASO 2 Deje hervir y agregue el arroz. Mueva bien el arroz con una cuchara de madera hasta que se mezcle con el líquido. Cuando el líquido en la olla comience a hervir de nuevo, inmediatamente mueva el arroz y reduzca a fuego lento. Cubra la olla con una tapa que ajuste bien y cueza por 15 minutos o hasta que se evapore todo el líquido.

PASO 3 Destape la olla. Cuidadosamente voltee el arroz, colocando una cuchara de madera en el borde inferior hasta el fondo de la olla, moviendo el arroz que está abajo hacia arriba. Tápelo y déjelo a fuego lento por 20 minutos o hasta que el arroz esté blando. Destape la olla y voltee el arroz de nuevo antes de servirlo.

Se sirve con pernil de cerdo al horno y pasteles.

6 porciones

HABICHUELAS COLORADAS GUISADAS

(Stewed Red Kidney Beans)

Habichuelas Coloradas Guisadas con Arroz Blanco

El arroz y las habichuelas son los alimentos básicos de nuestra cocina criolla. Cocino distintas clases de habichuelas secas y las mantengo congeladas para uso futuro (véase página 23). En Puerto Rico se le añade pedazos de calabaza para facilitar espesar la salsa de las habichuelas. La calabaza del Caribe se vende entera o en trozos en las tiendas latinas. Esta receta básica se utiliza, también, para guisar habichuelas de distintas clases (habichuelas pintas, habichuelas rosadas, etc.).

INGREDIENTES

4 tazas de **habichuelas secas coloradas cocidas** (véase página 23) o 2 latas (15.5 onzas cada lata) de **habichuelas coloradas**

⅓ taza de **agua**

4 onzas de **calabaza** (véase página 12)

2 cucharadas de **aceite de oliva extra virgen**

2 sobrecitos de sazón con **culantro y achiote** (véase página 14)

3 **dientes de ajo**, pelados y molidos

2 cucharadas de **salsa de tomate**

2 cucharadas de **sofrito**, (véase página 19)

3 ramitas de **cilantro** fresco, picaditas

1 cucharadita de **sal** (baja en sodio) o a su gusto*

⅓ taza de **jamón bajo en grasa**, cortado en pedacitos (opcional)

*omita la sal si usa las habichuelas en latas

MÉTODO

PASO 1 Vierta las habichuelas en una olla de 2 cuartillos a fuego moderado. Si usa las habichuelas de las latas, viértalas en la olla, incluyendo el líquido y agregue ⅓ taza de agua.

PASO 2 Monde la calabaza. Descarte las semillas y saque las hebras de la calabaza. Córtelas en trozos de 1 pulgada. Lávelas y agréguelas en la olla. Añada el resto de los ingredientes. Mueva bien todo y cueza tapado a fuego moderado bajo por 20 minutos o hasta que los pedazos de calabaza estén blanditos. Muévala ocasionalmente. Si desea las habichuelas más espesas, destape la olla y déjela hervir hasta que la salsa espese a su gusto.

Sirva con arroz blanco. Se puede, también, substituir el arroz blanco por el arroz integral.

6 porciones

ARROZ BLANCO
(White Rice)

Lo bueno del arroz blanco cocido en nuestra cultura es que se puede servir con diferentes clases de habichuelas guisadas (habichuelas pintas, habichuelas coloradas, habichuelas negras, etc.). El arroz y las habichuelas es un plato que las personas vegetarianas pueden comer con gusto porque esta combinación es muy sabrosa y nutritiva.

Cuando la receta especifica arroz blanco como uno de los ingredientes, se puede lavar el arroz blanco varias veces antes de cocinarlo si lo desea.

INGREDIENTES

3 tazas de **agua**
1½ cucharaditas de **sal** (baja en sodio) o a su gusto

3 cucharadas de **aceite de oliva extra virgen**
3 tazas de **arroz blanco grano largo**

MÉTODO

PASO 1 En una olla de 3 cuartillos, hierva 3 tazas de agua. Agregue la sal, aceite de oliva y el arroz. Mueva bien el arroz con una cuchara de madera hasta que se mezcle con el agua. Cuando el agua en la olla comience a hervir de nuevo, inmediatamente mueva el arroz y reduzca a fuego lento. Cubra la olla con una tapa que ajuste bien y cueza por 15 minutos a fuego lento o hasta que se evapore todo el líquido.

PASO 2 Destape la olla. Cuidadosamente voltee el arroz, colocando una cuchara de madera en el borde inferior hasta el fondo de la olla, moviendo el arroz que está abajo hacia arriba. Tápelo y déjelo a fuego lento por 20 minutos o hasta que el arroz esté blando. Destape la olla y voltee el arroz de nuevo antes de servirlo.

Sirva el arroz blanco con las habichuelas guisadas de su predilección. Véase foto en la página 46.

6 porciones

Calle del Viejo San Juan

AMARILLOS Y PLÁTANOS MADUROS ASADOS

(Fried Ripe Plantains and Baked Ripe Plantains)

Los plátanos verdes o maduros tienen muchos usos en distintas clases de recetas (entremeses, postres, vegetales, rellenos y frituras). Véase página 13.

AMARILLOS (Fried Ripe Plantains)

INGREDIENTES

2 plátanos maduros | ½ taza de **aceite de canola** para freír

MÉTODO

PASO 1   Pele los plátanos maduros. Córtelos a lo largo en tres tajadas. Caliente el aceite en un sartén de 12 pulgadas a fuego moderado. Agregue los plátanos y fríalos hasta que estén dorados en ambos lados. Retire del fuego y póngalos en un plato cubierto con papel toalla absorbente para eliminar el exceso de aceite. 3 porciones. Véase foto en la página 32.

PLÁTANOS MADUROS ASADOS (Baked Ripe Plantains)

INGREDIENTES

2 plátanos maduros | 2 pedazos de **papel de aluminio**

MÉTODO

PASO 1   Precaliente el horno a 350°F. Pele los plátanos maduros. Envuélvalos en papel de aluminio. Colóquelos sobre una bandeja de hornear. Hornee los plátanos por 40 minutos. Retírelos del horno. Cuidadosamente desenvuélvalos y sírvalos caliente. 2 porciones.

   Se puede también hornear los plátanos sin pelarlos. Corte las puntas de los plátanos y déle diagonalmente un corte largo a la cáscara. Colóquelos sobre una bandeja de hornear y hornéelos por 40 minutos. Retírelos del horno y remueva las cáscaras. Sirva caliente.

TOSTONES

(Double Fried Green Plantains)

INGREDIENTES

2 **plátanos verdes**

2 tazas de **agua**

1 cucharada de **polvo de ajo**

1½ cucharaditas de **sal** (baja en sodio) o a su gusto

1 taza de **aceite de canola** para freír

1 **tostonera**

MÉTODO

PASO 1   Agregue el agua, el polvo de ajo y la sal en un recipiente grande. Mezcle todo bien. Pele los plátanos verdes y lávelos. Córtelos diagonalmente o redondos en pedazos de 1 pulgada de grueso. Remójelos en el agua con la sal y el ajo por 5 minutos.

PASO 2   Caliente 1 taza de aceite en un sartén de 12 pulgadas a 365°F. Saque los plátanos del recipiente y escurra bien los pedazos de plátanos antes de ponerlos en el sartén para evitar que el aceite salte. Fríalos por ambos lados hasta que ablanden y los plátanos tengan un color amarillo dorado. Yo me ubico frente al sartén, con un tenedor grande, y cuidadosamente volteo los pedazos de plátanos para que se frían uniformemente. Esto tarda por los menos 10 minutos. Retírelos y colóquelos sobre un plato cubierto con papel toalla absorbente para eliminar el exceso de aceite.

PASO 3   Aplástelos en una tostonera. Véase las ilustraciones en las páginas 52 y 53. Si no tiene una tostonera, ponga un pedazo de plátano entre dos papeles de aluminio. Con las palmas de las manos o con un rodillo, aplique presión hasta que quede aplastado. Ponga el pedazo de plátano aplastado en un plato. Repita el proceso para cada pedazo de plátano.

PASO 4   Recaliente el aceite a 365°F. Páselos ligeramente en el agua con la sal y el ajo (escúrralos bien) y cuidadosamente échelos a freír hasta que estén dorados por ambos lados. Retire del fuego y póngalos sobre un plato cubierto con papel toalla absorbente para eliminar el exceso de aceite. Sirva inmediatamente.   Véase foto en la página 30.

12 tostones

CÓMO HACER LOS TOSTONES

PASO 1   Corte el plátano diagonalmente o redondo en pedazos de 1 pulgada de grueso.

PASO 2   Coloque un pedazo de plátano frito en la parte de abajo de la tostonera.

PASO 3 Cierre la tapa de la tostonera para aplastar el pedazo de plátano.

MOFONGO
(Mashed Green Plantains with Bacon)

El mofongo se sirve en forma de bolitas y a veces en el mortero. Tradicionalmente la carne que se usa para mezclar con el plátano es el chicharrón. En esta receta uso la tocineta, manteniendo la misma textura y sabor.

INGREDIENTES

3 **plátanos verdes** (véase página 13)
3 tazas de **agua**
1½ cucharaditas de **sal** (baja en sodio) o a su gusto

½ libra de **tocineta**
4 **dientes de ajo**, pelados y molidos
1 taza de **aceite de canola** para freír

MÉTODO

PASO 1 Pele los plátanos verdes y córtelos en pedazos de una pulgada. Lave los pedazos de plátanos. Mezcle el agua y la sal en un recipiente mediano. Agregue los pedazos de plátanos y remójelos (añádale más agua para que cubra los plátanos si es necesario) por 10 minutos. Escurra el agua del recipiente.

PASO 2 En un sartén de 12 pulgadas, caliente una taza de aceite a 365°F. Añada los pedazos de plátanos en el sartén (la cantidad que quepan en el sartén) y fríalos hasta que estén blanditos y que tengan un color amarillo dorado. Yo me ubico frente al sartén, con un tenedor grande y cuidadosamente volteo los pedazos de plátanos para que se frían uniformemente. Esto tarda por los menos 10 minutos. Retírelos y póngalos sobre un plato cubierto con papel toalla absorbente para eliminar el exceso de aceite.

PASO 3 En un sartén de 10 pulgadas, cocine la tocineta a fuego moderado hasta que esté crujiente. Sáquela del sartén y tritúrela en un recipiente grande. Cuando la grasa de la tocineta se enfríe un poco, resérvelas en un envase pequeño.

PASO 4 En un mortero, muela bien los ajos con la maceta y colóquelos juntos con la tocineta crujiente. Ponga los pedazos de plátanos que quepan en el mortero. Añada 1 cucharada de grasa de la tocineta y muélalos con la maceta. Saque los plátanos molidos del mortero y añádalos juntos en el recipiente con la mezcla de ajo y tocineta. Repita el proceso hasta que muela todos los pedazos de plátanos. Con las manos, mezcle bien la tocineta crujiente, el ajo molido y los plátanos majados. Descarte la grasa de tocineta sobrante.

PASO 5 Saque 2 cucharadas de la mezcla de plátanos y dele forma de bola de 2 pulgadas con las manos. Póngalos en un plato llano y sírvalos con la carne de su preferencia.

14 bolitas de mofongo

PIÑÓN
(Plantain Meat Pie)

El plátano maduro se usa para preparar este plato. El plátano maduro le da un sabor dulce a la mezcla de carne. Para esta receta use los plátanos bien maduros (cuando la cáscara se pone negra). El piñón tradicionalmente se cocina en un sartén con carne molida de res y con plátanos fritos. En mi caso, hago los plátanos al horno y uso carne molida de pavo.

Cocino el piñón en un sartén sobre la estufa. También, se puede hornear en un molde de 13" x 9" x 2" por 40 minutos a 350°F y echarle queso por capas como al estilo de la "Lasagna."

6 **plátanos** grandes maduros (véase página 13)
8 **huevos** grandes

3 cucharaditas de **aceite de oliva extra virgen**

Relleno:

1 cucharada de **aceite de oliva extra virgen**
1 libra de **carne molida de pavo**
½ cucharadita de **sal** (baja en sodio) o a su gusto
½ cucharadita de **orégano**
2 sobrecitos de sazón con **culantro** y **achiote** (véase página 14)
3 **dientes de ajo**, pelados y molidos
⅓ taza de **salsa de tomate**

3 cucharadas de **sofrito**, (véase página 19)
1½ cucharaditas de **alcaparras**, escurridas
8 **aceitunas rellenas con pimientos**, cortadas por la mitad
1 lata (14.5 onzas) de **habichuelas tiernas (French Style)**, escurridas

MÉTODO

PASO 1 Precaliente el horno a 350°F. Corte las puntas de los plátanos y déle diagonalmente un corte largo a la cáscara. Colóquelos sobre una bandeja de hornear y hornee los plátanos por 40 minutos. Retírelos del horno y deje que se enfríen. Remueva las cáscaras. Córtelos a lo largo en 3 ó 4 tajadas como de ¼ pulgada de espesor.

PASO 2 *Relleno:* En un sartén de 10 pulgadas, caliente 1 cucharada de aceite de oliva a fuego moderado bajo. Añada la carne molida de pavo y cueza por 15 minutos o hasta que se cocine bien la carne. Mueva ocasionalmente. Agréguele el resto de los ingredientes incluidos en la lista del relleno. Mezcle todo bien. Cueza a fuego bajo por 15 minutos, moviendo la mezcla de carne ocasionalmente. Vierta la mezcla de carne en un envase para usar luego.

PASO 3 En un sartén antiadherente de 10 pulgadas, engrase levemente el fondo con 1½ cucharaditas de aceite de oliva. Ponga el sartén a fuego bajo. Bata los huevos en un recipiente. Agregue la mitad de los huevos batidos al fondo del sartén. Ponga las tajadas de plátanos y la mezcla de carne en capas en el sartén, empezando y terminando con los plátanos. Agregue la otra mitad de los huevos batidos sobre los plátanos. Cueza por 15 minutos o hasta que los huevos en la parte de abajo estén firmes y los huevos en la parte de arriba estén empezando a cuajar pero no firme.

PASO 4 En otro sartén antiadherente de 10 pulgadas, engrase levemente el fondo con 1½ cucharaditas de aceite de oliva. Coloque el sartén engrasado encima del sartén con el piñón y vírelo cuidadosamente al otro sartén. Cueza a fuego bajo por 15 minutos o hasta que los huevos estén firmes. Pásele un cuchillo cuidadosamente por las orillas adentro del sartén para despegarlo. Se puede servir un pedazo del piñón directamente del sartén. También, se puede poner un plato grande sobre el sartén y cuidadosamente voltear el piñón sobre el plato.

8 porciones

PASTELES
(Steamed Root Vegetables with Pork Filling)

Este plato es muy popular en Puerto Rico. Se consume mayormente durante los días navideños y es similar a los tamales de México y las hallacas de Venezuela. En el mes de noviembre, mi familia se reúne en mi casa para hacer por los menos 130 pasteles. Como hacemos muchos pasteles a la vez, congelamos la mayoría en bolsas para congelar de un galón antes de cocinarlos.

Anteriormente cuando hacíamos los pasteles, las viandas se rallaban manualmente. Hoy usamos el procesador de alimentos. También, cocino los pasteles a vapor en vez de hervirlos en una olla en agua con sal (método tradicional). Cocinando los pasteles a vapor se evita que el agua entre al pastel y se elimina el tener que escurrirlo. Al mismo tiempo, la masa del pastel mantiene su forma y absorbe mejor el sabor de la hoja de plátano. Las hojas de plátanos o de guineos se venden congeladas en las tiendas latinas.

Relleno:

2 libras de **carne de cerdo** (pork boneless stew meat), quítele el exceso de grasa, cortadas en cubitos de ½ pulgada

½ taza de **agua**

4 onzas de **jamón bajo en grasa**, cortado en pedacitos

1½ cucharaditas de **sal** (baja en sodio) o a su gusto

⅓ taza de **aceite con achiote** (véase página 17)

3 **dientes de ajo**, pelados y molidos

2 cucharadas de **salsa de tomate**

3 cucharadas de **sofrito**, (véase página 19)

4 ramitas de **cilantro** fresco, picaditas

¾ taza de **pasas sin semillas** (opcional)

20 **aceitunas rellenas con pimientos**, cortadas por la mitad

2 cucharadas de **alcaparras**, escurridas

1 lata (15 onzas) de **garbanzos**, con su líquido

Masa:

10 **guineos verdes**, pelados

2 libras de **yautía** (véase página 14), mondadas

2 **plátanos verdes** (véase página 13), pelados

2 cucharadas de **sal** (baja en sodio) o a su gusto

1⅔ tazas de **aceite con achiote** (véase página 17)

2 tazas de **leche descremada** tibia

Para Envolver Los Pasteles:

24 **hojas de plátano**, cortadas (9 x 12 pulgadas)

24 **papeles** para envolver pasteles (**parchment**), cortados (10 x 15 pulgadas)

Cordón para amarrar pasteles

MÉTODO

PASO 1   *Relleno:* Lave la carne de cerdo y échela en una olla de 3 cuartillos. Añada el agua y ponga la carne a cocer a fuego bajo por 15 minutos. Agregue el resto de los ingredientes y muévalos todos bien. Déjelos hervir. Cubra la olla con una tapa y deje cocer la carne de cerdo a fuego lento por 50 minutos o hasta que se cocine bien y quede espesa.

PASO 2   *Masa:* En el procesador de alimentos, muela los guineos verdes, yautías y plátanos verdes. Vierta la masa en un recipiente grande y agréguele la sal, aceite con achiote y la leche tibia. Mézclelo todo bien con una cuchara de madera hasta que el color de la masa quede uniforme.

PASO 3   Limpie las hojas de plátano con un paño mojado. Corte las hojas de plátano y papel de envolver con las medidas indicadas. Ponga una hoja de plátano sobre cada papel cortado (parchment). En el centro de la hoja de plátano a lo largo, eche 3 cucharadas llenas de la masa. Con una cuchara de acero inoxidable, extienda la masa uniformemente en el centro de la hoja, dejando un borde de 3 pulgadas. Coloque 3 cucharadas de relleno en el centro de la masa.

PASO 4 Con una cuchara de acero inoxidable, doble las orillas de la masa hacia el centro del pastel cubriendo el relleno. Doble primero la hoja de plátano a lo largo (horizontalmente) sobre la masa. Cuidadosamente doble las puntas hacia el centro. Vire el pastel con el doblez hacia abajo y póngalo sobre el papel de envolver (parchment). Doble el papel de envolver (parchment) a lo largo (horizontalmente), cubriendo el pastel doblado. Cuidadosamente doble las puntas hacia el centro. Con el cordón, amarre cada pastel entrecruzado y asegurándolos con un nudo en el centro. Véase las ilustraciones en las páginas 60 y 61.

PASO 5 ***Para cocinar a vapor los pasteles:*** Coloque en una olla de vapor de 12 cuartillos la canasta de vapor. Vierta suficiente agua en la olla de vapor, asegurando que el agua queda debajo de la canasta, para que los pasteles no estén en contacto con el agua. Ponga la olla de vapor sobre la estufa a fuego moderado. Coloque los pasteles que quepan con mucho cuidado en la canasta de vapor. Cubra la olla con tapa y deje cocer a vapor por 45 minutos o hasta que los pasteles queden firmes. Destape y espere que el vapor se haya evaporado antes de sacar los pasteles de la canasta. Saque los pasteles de la canasta y póngalos sobre un plato grande. Cuando vaya a servir, corte el cordón, desenvuelva el pastel y sírvalo en un plato con pernil asado y arroz con gandules verdes. Añádale 15 minutos más para cocinarlos si los pasteles están congelados.

24 pasteles

CÓMO ENVOLVER LOS PASTELES

PASO 1 Doble la hoja de plátano a lo largo sobre la masa. Cuidadosamente doble las puntas hacia el centro. Vire el pastel con el doblez hacia abajo y colóquelo sobre el papel de envolver (parchment).

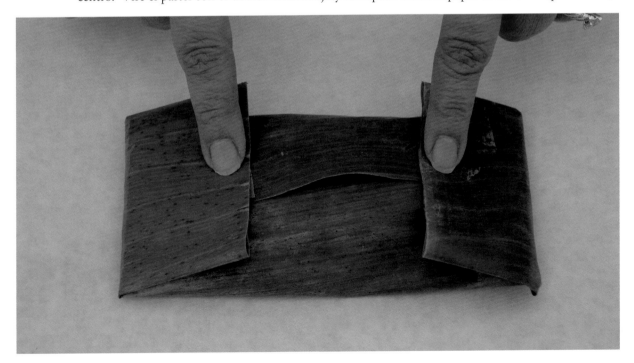

PASO 2 Doble el papel de envolver (parchment) a lo largo, cubriendo el pastel doblado. Cuidadosamente doble las puntas hacia el centro. Amarre el pastel entrecruzado con un cordón y asegúrelo con un nudo en el centro.

ALCAPURRIAS
(Stuffed Baked Green Plantains)

La masa consiste de plátanos o guineos verdes y yautías rellena con carne molida. El relleno se prepara con carne molida de res, pero yo uso la carne molida de pavo. Tradicionalmente, las alcapurrias se fríen, pero las horneo envueltas en hojas de plátanos o guineos. Mis amistades comieron mis alcapurrias y cuando les informé que las cociné en el horno, creían que yo estaba bromeando.

Relleno:

1 libra de **carne molida de pavo**

2 cucharadas de **aceite con achiote** (véase página 17)

½ cucharadita de **sal** (baja en sodio) o a su gusto

2 cucharadas de **sofrito**, (véase página 19)

2 **dientes de ajo**, pelados y molidos

2 cucharadas de **salsa de tomate**

6 **aceitunas rellenas con pimientos**, picaditas

½ cucharadita de **alcaparras**, escurridas

2 onzas de **jamón bajo en grasa**, cortados en pedacitos

Masa:

2 **plátanos verdes** (véase página 13) o 5 **guineos verdes**, pelados

1 libra de **yautía** mondada (véase página 14)

2 cucharaditas de **sal** (baja en sodio) o a su gusto

2 cucharadas de **aceite con achiote** (véase página 17)

Para Envolver las Alcapurrias:

12 **hojas de plátano**, cortadas (8 x 6 pulgadas)

½ taza de **aceite con achiote** (véase página 17)

MÉTODO

PASO 1 *Relleno:* Coloque la carne molida de pavo y 2 cucharadas de aceite con achiote en una olla de 3 cuartillos. Cueza la carne a fuego moderado bajo por 15 minutos, moviendo la carne ocasionalmente. Agregue el resto de los ingredientes y mezcle todo bien. Cubra la olla con una tapa y cueza a fuego lento por 15 minutos o hasta que se cocine bien la carne.

PASO 2 *Masa:* Lave los plátanos o guineos verdes y las yautías. En un recipiente, ralle las yautías y los plátanos o guineos verdes por el lado más fino del rallador o use el procesador de alimentos. Vierta la masa en un recipiente grande y agréguele la sal y el aceite con achiote. Mézclelo todo bien con una cuchara de madera hasta que el color de la masa quede uniforme.

PASO 3 Precaliente el horno a 350°F. Corte las hojas de plátano con las medidas indicadas. Pásele sobre una hoja ½ cucharadita de aceite con achiote. Ponga ¼ taza de la masa sobre la hoja. Haga un hueco en el centro y coloque 1 cucharada llena del relleno en el centro de la masa. Con una cuchara de acero inoxidable, cubra completamente el relleno con la masa y forme la alcapurria que mide aproximadamente 4½ pulgadas de largo, 2 pulgadas de ancho y ½ pulgada de grueso. Envuelva cada alcapurria en la hoja de plátano, asegurando que la alcapurria no esté descubierta, doblando ambos lados de la hoja. Repita el proceso para preparar cada alcapurria.

PASO 4 Coloque las alcapurrias con el doblez hacia abajo en una bandeja para hornear. Coloque la bandeja en el horno por 30 minutos. Saque la bandeja del horno. Las alcapurrias ya están completamente cocidas después de los 30 minutos y están listas para comer. Si prefiere las alcapurrias tostaditas, entonces vire cuidadosamente las alcapurrias calientes y desenvuelva parcialmente cada alcapurria de la hoja (que se vea la parte de arriba de las alcapurrias). Hornea por 15 minutos más para tostarlas por encima. Sirva caliente.

12 alcapurrias

VIANDAS
(Boiled Root Vegetables)

Ñame, Yuca y Yautía

Cuando yo estudiaba en la Universidad de Puerto Rico, mi tía, Paulita, siempre tenía viandas preparadas para el almuerzo. Yo le echaba un poco de aceite de oliva por encima a las viandas y me las comía con tajadas de aguacate.

10 tazas de **agua**
2 cucharaditas de **sal** (baja en sodio) o a su gusto
½ libra de **yautía** (véase página 14)

1 libra de **ñame** (véase página 13)
½ libra de **yuca** (véase página 13)

MÉTODO

PASO 1   En una olla de 4 cuartillos, ponga a hervir 10 tazas de agua. Agregue 2 cucharaditas de sal.

PASO 2   Monde la yautía, ñame y yuca. Córtelas en rebanadas de 1 pulgada. Corte la yuca por la mitad y saque la fibra gruesa que tiene la yuca en el centro. Lávelas y échelas cuidadosamente en la olla (añádale más agua para que cubra las viandas si es necesario). Cueza tapada a fuego moderado por 20 minutos o hasta que las viandas estén tiernas. Remueva cuidadosamente las viandas hervidas y póngalas en un recipiente.

Sírvalas con bacalao guisado o ensalada de bacalao (serenata).

5 porciones

PANAPÉN (PANAS) HERVIDAS
(Boiled Breadfruits)

Panapén (Panas) Hervidas con Bacalao Guisado

Cada tres meses yo visitaba a mi tío, Quinto, en el Barrio Candelero de Humacao, Puerto Rico. Cuando era hora de regresar a mi casa, mi tío me daba una bolsa llena de panas. Yo puedo comer panas todos los días.

Las panas se sirven mayormente con bacalao guisado o ensalada de bacalao (serenata). También se puede servir con un poco de aceite de oliva por encima y con tajadas de aguacate.

14 tazas de **agua**

1½ cucharadas de **sal** (baja en sodio) o a su gusto

1 **panapén maduro** (pana, véase página 12)

MÉTODO

PASO 1 En una olla de 4 cuartillos, ponga a hervir 14 tazas de agua. Agregue la sal.

PASO 2 Corte la pana por la mitad a lo largo. Corte cada mitad en 4 pedazos iguales a lo largo. A cada trozo, sáquele por los menos ½ pulgada de la "tripa o corazón" y móndelos. Véase las ilustraciones en las páginas 67 y 68. Lávelos y póngalos cuidadosamente a hervir en la olla (añádale más agua para que cubra las panas, si es necesario).

PASO 3 Cueza tapada a fuego moderado por 20 minutos o hasta que estén blanditas. Saque cuidadosamente las panas hervidas y colóquelas en un recipiente.

4 porciones

CÓMO PREPARAR EL PANAPÉN

PASO 1 Corte una sección por la mitad a lo largo para obtener un trozo.

<u>**PASO 2**</u>   Remueva por los menos ½ pulgada de la "tripa o corazón."

<u>**PASO 3**</u>   Monde el trozo de pana.

Garita en El Morro - Viejo San Juan

SERENATA
(Salt Cod Salad)

El bacalao es un pescado que ha sido salado y deshidratado para preservarlo. Cuando se aplica este método de preservar el bacalao, el contenido de agua en el bacalao se reduce significativamente, creando una textura firme y seca. El bacalao se vende en pedazos con espinas y piel. El bacalao tiene un color amarillo pálido que parece estar cubierto con una capa blanca debido a la aplicación de sal. Si su preferencia es comprar el bacalao seco auténtico en las tiendas latinas, hay que remover la piel y sacar las espinas después de cocinar el bacalao. Yo prefiero el bacalao (salted pollock) en filetes, sin espinas y sin piel, el cual se usa comúnmente hoy en Puerto Rico. Aunque es necesario desalar el bacalao (salted pollock), uno elimina el proceso de sacar las espinas y la piel. Las instrucciones en esta receta para desalar el bacalao auténtico o los filetes de bacalao (salted pollock fillets) son iguales para ambos.

En Puerto Rico, mi tía, Paulita, servía el bacalao sobre la lechuga del país. Yo prefiero la ensalada de bacalao con espinacas. También, es preparado y servido solo.

INGREDIENTES

1 libra de **bacalao** (salted pollock fillets), sin espina y sin piel

4 onzas de **espinacas**

1 **cebolla** grande, pelada y cortada en rebanadas finas

1 **tomate** grande, cortado en rebanadas

1 **aguacate maduro** mediano, pelado y cortado en pedazos pequeños

3 **huevos duros hervidos**, sin cascarón y cortados en rebanadas (opcional)

Aceite de oliva extra virgen para la ensalada

MÉTODO

PASO 1 Enjuague el bacalao en agua fría para eliminar el exceso de sal. Ponga el bacalao en un recipiente grande y remójelo en agua fría por 4 horas con dos o tres cambios de agua fresca. Escúrralo.

PASO 2 Vierta 6 tazas de agua en una olla de 3 cuartillos. Agregue el bacalao en la olla y póngalo a hervir por 15 minutos. Pruebe el bacalao para determinar si está a su gusto. Si el bacalao todavía le queda muy salado, repita el proceso de hervir el bacalao con agua fresca hasta que el contenido de sal se reduzca a su gusto. Cuidadosamente escurra el agua de la olla. Enjuague el bacalao con agua fría y póngalo en un envase. Déjelo enfriar completamente. Desmenúcelo.

PASO 3 Cubra un plato grande con espinaca. Ponga en capas el bacalao, las rebanadas de cebollas, las rebanadas de tomates, los pedazos de aguacate y las rebanadas de huevos (si lo desea).

PASO 4 Vierta sobre la ensalada de bacalao el aceite de oliva a su gusto.

Sirva frío con viandas o con panapén (panas) hervidas.

6 porciones

BACALAO GUISADO

(Stewed Salt Cod)

INGREDIENTES

1 libra de **bacalao** (salted pollock fillets), sin espina y sin piel

1 taza de **aceite de oliva extra virgen**

2 cucharadas de **sofrito** (véase página 19)

2 sobrecitos de sazón con **culantro** y **achiote** (véase página 14)

2 **dientes de ajo**, pelados y molidos

1 **cebolla** mediana, pelada y cortada en rebanadas finas (opcional)

2 cucharadas de **salsa de tomate**

MÉTODO

PASO 1 Enjuague el bacalao en agua fría para sacarle bastante la sal. Ponga el bacalao en un recipiente grande y remójelo en agua fría por 4 horas con dos o tres cambios de agua fresca. Escúrralo.

PASO 2 Vierta 6 tazas de agua en una olla de 3 cuartillos. Agregue el bacalao en la olla y póngalo a hervir por 15 minutos. Pruebe el bacalao para determinar si está a su gusto. Si el bacalao todavía le queda muy salado, repita el proceso de hervir el bacalao con agua fresca hasta que el contenido de sal se reduzca a su gusto. Cuidadosamente escurra el agua de la olla. Enjuague el bacalao con agua fría y póngalo en un envase. Déjelo enfriar completamente. Desmenúcelo.

PASO 3 En un sartén de 10 pulgadas, caliente el aceite de oliva a fuego moderado. Agregue el sofrito, sazón, ajo, cebolla en rebanadas y salsa de tomate. Mueva bien y cueza por 5 minutos a fuego lento. Añada el bacalao y mueva hasta que la salsita de tomate lo cubra por completo. Cueza a fuego lento por 15 - 20 minutos, mueva ocasionalmente.

Sirva con viandas o con panapén (panas) hervidas. Véase foto en la página 66.

Variación - Bacalao Revuelto con Huevos
Bata tres huevos en un recipiente y agréguelos en el sartén. Mezcle con el bacalao ya guisado. Cueza hasta que los huevos queden firmes, mueva ocasionalmente.

Variación - Bacalao con Berenjena
Monde una berenjena mediana y córtela en trozos de 1 pulgada. Agréguelas en el sartén con el bacalao ya guisado y cuézala a fuego lento hasta que la berenjena esté blandita, aproximadamente 30 minutos. Mueva ocasionalmente.

5 porciones

Vendedor Local de Piraguas

AVENA
(Oatmeal)

En Puerto Rico, la avena se cocina con sal, leche y azúcar.   Cocino la avena solamente con leche descremada. Cuando sirvo la avena caliente en un tazón, le echo por encima un poquito de azúcar morena y canela en polvo. En las tiendas latinas, compro la avena instantánea porque las hojuelas de la avena son más pequeñas y la avena queda muy cremosa.

INGREDIENTES

1 taza de **avena instantánea** (hojuelas de avena pequeñas)
2 tazas de **leche descremada**

Azúcar morena, espolvorear a gusto
Canela en polvo, espolvorear a gusto

MÉTODO

PASO 1 Añada la avena instantánea y la leche descremada en una olla de 1 cuartillo. Mezcle bien. Cueza a fuego lento, moviéndola ocasionalmente, por 10 minutos o hasta que la avena quede cremosa.

PASO 2 Sirva caliente en dos tazones y espolvoree por encima con azúcar morena y con canela en polvo.

2 porciones

TORTILLA ESPAÑOLA

(Spanish Omelet)

La tortilla española es muy sencilla pero gustosa. Cuando desayunaba fuera de la casa en Puerto Rico, ordenaba la tortilla española con una taza de café. La tortilla española es gruesa, pero a mí me gusta prepararla más delgada - de la manera que la preparaban y la servían en Humacao, Puerto Rico.

INGREDIENTES

1 **papa** mediana
2 cucharadas de **aceite de oliva extra virgen**
1 **cebolla** pequeña, pelada y picadita
6 **huevos** grandes

½ cucharadita de **sal** (baja en sodio) o a su gusto
⅛ cucharadita de **pimienta**
1½ cucharaditas de **aceite de oliva extra virgen**

MÉTODO

PASO 1 Monde la papa y córtela en cubitos de ½ pulgada. Lávelas. En un sartén antiadherente de 10 pulgadas, caliente 2 cucharadas de aceite de oliva a fuego bajo. Agregue las papas y las cebollas. Cubra el sartén con una tapa. Cueza las papas y las cebollas a fuego bajo por 20 minutos o hasta que las papas estén tiernas. Mueva ocasionalmente.

PASO 2 En un recipiente, bata los huevos y sazone con la sal y la pimienta. Vierta la mezcla de huevos sobre las papas y cebollas en el sartén. Cubra el sartén con una tapa. Cueza por 15 minutos a fuego bajo o hasta que los huevos en la parte de abajo del sartén estén firmes y los huevos por encima estén empezando a cuajar, pero no firme. Destape el sartén.

PASO 3 En otro sartén antiadherente de 10 pulgadas, engrase el fondo con 1½ cucharaditas de aceite de oliva. Coloque el sartén engrasado encima del sartén con la tortilla y vírela cuidadosamente al otro sartén. Cueza a fuego bajo el otro lado de la tortilla por 15 minutos o hasta que los huevos estén firme.

PASO 4 Con una espátula, despegue la tortilla de los lados del sartén y cuidadosamente pásela a un plato grande o sírvala directamente del sartén.

4 porciones

TORTITAS DE MAÍZ
(Corn Meal Fritters)

Antes de salir a trabajar en Puerto Rico, mi tía, Paulita, preparaba tortitas de maíz para el desayuno y las acompañaba con una taza de café puertorriqueño. Esta receta, también, se puede usar para preparar "surullos" - frituras con harina de maíz en forma de cigarro. Son muy populares en Puerto Rico. El queso que más se usa en esta receta es el queso Edam. El queso Edam es un queso holandés en forma de bola y cubierto con cera color roja.

1½ tazas de **harina de maíz**, amarilla gruesa
⅓ taza de **harina de trigo de todo uso**
½ cucharadita de **sal** (baja en sodio) o a su gusto
1 taza de **queso Edam**, rallado

1 cucharada de **margarina** (hecha con **aceite de oliva extra virgen**)
1 taza de **leche descremada tibia**
1 taza de **aceite de canola** para freír

MÉTODO

PASO 1 Combine la harina de maíz, harina de trigo y la sal en un recipiente mediano. Agregue el queso rallado y la margarina. Lentamente vierta la leche tibia, mezclando rápidamente con una cuchara de madera hasta que se mezclen bien todos los ingredientes. Deje reposar por 3 minutos para que la mezcla de maíz se espese.

PASO 2 Caliente 1 taza de aceite en un sartén de 10 pulgadas a 365°F. Ponga la mezcla de maíz por cucharadas en el sartén. Fríalas hasta que estén doradas en ambos lados. Sáquelas del sartén y colóquelas sobre un plato cubierto con papel toalla absorbente para eliminar el exceso de aceite. Sírvalas caliente.

18 tortitas de maíz

BACALAÍTOS FRITOS
(Salt Cod Fritters)

Los bacalaítos normalmente se fríen finos y tamaño mediano, pero algunas personas les gustan más gruesos y grandes. Si encuentra que la mezcla de bacalao es muy espesa añádale más agua hasta que quede la consistencia que desee.

INGREDIENTES

½ libra de **bacalao** (salted pollock fillets), sin espinas y sin piel

1½ tazas de **harina de trigo de todo uso**

1 cucharadita de **polvo de hornear**

1 cucharadita de **sal** (baja en sodio) o a su gusto

¼ cucharadita de **pimienta**

1½ tazas de **agua**

½ taza de **leche descremada**

2 **dientes de ajo**, pelados y molidos

4 ramitas de **cilantro**, picaditas

1 taza de **aceite de canola** para freír

MÉTODO

PASO 1   Enjuague el bacalao en agua fría para eliminar el exceso de sal. Ponga el bacalao en un recipiente grande y remójelo en agua fría por 4 horas con dos o tres cambios de agua fresca.   Escúrralo.

PASO 2   Vierta 6 tazas de agua en una olla de 3 cuartillos. Agregue el bacalao en la olla y póngalo a hervir por 15 minutos. Pruebe el bacalao para determinar si está a su gusto. Si el bacalao todavía le queda muy salado, repita el proceso de hervir el bacalao con agua fresca hasta que el contenido de sal se reduzca a su gusto. Cuidadosamente escurra el agua de la olla. Enjuague el bacalao con agua fría y póngalo en un envase. Déjelo enfriar completamente. Desmenúcelo.

PASO 3   En un recipiente grande, combine la harina de trigo, el polvo de hornear, la sal y la pimienta. Mezcle bien con una cuchara de madera. Agregue el agua, la leche, el ajo, el cilantro y el bacalao. Muévalo hasta que se espese.

PASO 4   Ponga a calentar el aceite en un sartén de 12 pulgadas a 365°F. Mida ¼ taza de la mezcla de bacalao y cuidadosamente viértala en el sartén. Fríalos hasta que ambos lados estén dorados. Retire del sartén. Coloque los bacalaítos fritos sobre un plato cubierto con papel toalla absorbente para eliminar el exceso de aceite. Sirva caliente.

15 bacalaítos

YANICLECAS

(Fried Bread)

Como a mí me gusta el pan, me encantan las yaniclecas. Estos panecitos fritos, también, se llaman "arepas." Yo preparo de antemano la masa precortada y la congelo después de envasarla al vacío. Hoy se puede comprar cajas de la masa precortada y congelada en las tiendas latinas.

4 tazas de **harina de trigo de todo uso**
1½ cucharaditas de **sal** (baja en sodio) o a su gusto
1 cucharadita de **polvo de hornear**
⅓ taza de **margarina** (hecha con **aceite de oliva extra virgen**)

1½ tazas de **leche descremada**
1 taza de **aceite de canola** para freír

MÉTODO

PASO 1 Con una cuchara de madera, mezcle la harina, sal y polvo de hornear en un recipiente. Agregue la margarina. Con un mezclador de harina, corte y mezcle bien la margarina con la harina. Añada lentamente la leche descremada a la mezcla de harina y mueva hasta que se forme una masa.

PASO 2 Vierta la masa sobre una superficie enharinada y únala en forma de bola con las manos. Amásela por 4 minutos hasta que quede suave y elástica. Si la masa queda muy pegajosa para amasar, espolvoree harina sobre la superficie y continúe amasando. Divida la masa en 20 porciones y le da la forma de bolita de 1½ pulgadas con las palmas de las manos. Coloque las bolitas sobre papel parafinado enharinado levemente.

PASO 3 Con el rodillo levemente enharinado, estire cada bolita de masa a 5 pulgadas de diámetro y de ⅛ pulgada de grueso. Colóquela sobre papel parafinado enharinado levemente.

PASO 4 Caliente 1 taza de aceite en un sartén de 12 pulgadas a 365°F. Fríalas y retírelas del sartén cuando ambos lados estén dorados. Colóquelas sobre un plato cubierto con papel toalla absorbente para eliminar el exceso de aceite. Sírvalas caliente con una taza de café puertorriqueño.

20 yaniclecas

PASTELILLOS
(Fried Meat Pies)

Los pastelillos se conocen por el nombre de "empanadas" en otros países. Las empanadas en Puerto Rico son básicamente cortes de carne pasados por huevos batidos, luego en polvo de galleta y se fríen o se asan en el horno.

Un día yo decidí hacer pastelillos. Llamé a mi mamá, Genoveva, y le pregunté si ella usaba el polvo de hornear o la soda de hornear - ella respondió que usaba lo que tenía disponible en la alacena. Yo le pregunté si usaba la harina de trigo de "self rising" o la harina de trigo de todo uso - ella respondió que usaba lo que estaba más barato en la tienda. Me reí tan fuerte porque pensé que nunca iba a aprender a hacer los pastelillos según nuestra conversación. La invité a mi casa y le pedí que me enseñara cómo ella hacía los pastelillos. Ella empezó a añadir los ingredientes sin medirlos en un envase. Tuvimos que empezar de nuevo y tomé algunas medidas. Por unos meses, trabajé con la masa hasta que por fin logré tomar la cantidad correcta y la consistencia adecuada. Invité a mi mamá y a mi hermano mayor, Rubén, para comer unos pastelillos en mi casa. Mi mamá se comió los pastelillos y dijo que fueron los pastelillos más sabrosos que ella había comido.

Ella me pidió la receta - yo le respondí que usé sus ingredientes, pero desarrollé mis propias medidas hasta que la masa me quedó perfecta. Mis amigas de Puerto Rico comieron mis pastelillos y dijeron que son mejores que los de Puerto Rico - ahora me piden que les envíe pastelillos congelados.

INGREDIENTES

Relleno:

2 libras de **carne de res** (beef stew), quítele el exceso de grasa, cortada en cubitos de ½ pulgada

½ taza de **agua**

1 cucharadita de **sal** (baja en sodio) o a su gusto

1 cucharada de **aceite de oliva extra virgen**

2 sobrecitos de sazón con **culantro y achiote** (véase página 14)

3 **dientes de ajo**, pelados y molidos

2 cucharadas de **salsa de tomate**

3 cucharadas de **sofrito**, (véase página 19)

3 ramitas de **cilantro fresco**, picaditas

Masa:

4 tazas de **harina de trigo de todo uso**

1 cucharadita de **sal** (baja en sodio) o a su gusto

1 cucharadita de **soda de hornear**

⅓ taza de **manteca vegetal**

1½ tazas de **agua fría**

2 tazas de **aceite de canola** para freír

MÉTODO

PASO 1   *Relleno:* Lave la carne y échela en una olla de 3 cuartillos. Añada el agua y ponga la carne a cocer a fuego lento por 10 minutos. Agregue el resto de los ingredientes y mezcle todo bien. Póngalos a hervir. Cubra la olla con una tapa y cueza a fuego lento por 30 minutos o hasta que la carne esté blandita, moviéndola ocasionalmente. Si la carne todavía tiene mucho líquido, destape la olla y cueza a fuego moderado para espesar la salsa más rápido. Retire la olla del fuego. Déjelo enfriar.

PASO 2   *Masa:* Mezcle la harina de trigo, sal y soda de hornear en un recipiente con una cuchara de madera. Agregue la manteca vegetal. Con un mezclador de harina, corte y mezcle bien la manteca vegetal en la harina. Añada lentamente agua fría a la mezcla de harina y mueva hasta que se forme una masa. Vierta la masa sobre una superficie enharinada y una la masa en forma de bola con las manos. Amásela por 4 minutos hasta que la masa quede suave y elástica Si la masa queda muy pegajosa para amasar, espolvoree harina sobre la superficie y continúe amasándola. Divida la masa formando 20 bolitas de 1½ pulgadas con las palmas de las manos. Coloque las bolitas sobre papel parafinado enharinado levemente.

PASO 3   Con el rodillo levemente enharinado, estire la bolita de masa a 6 pulgadas de diámetro y de ⅛ pulgada de grueso. Coloque 2 cucharadas de relleno en el centro de la masa. Doble la masa en forma de media luna. Con un platillo, presione las orillas de la media luna y corte alrededor del platillo para que queden uniformes. Ponga a un lado la masa que cortó. Selle las orillas presionándolas con la punta de un tenedor mojado en agua. Coloque cada pastelillo sobre papel parafinado enharinado levemente. Repita el procedimiento para cada bolita de masa.

PASO 4   Caliente 2 tazas de aceite en un sartén de 12 pulgadas a 365°F. Fríalas y retírelas del sartén cuando ambos lados estén dorados. Colóquelos sobre un plato cubierto con papel toalla absorbente para eliminar el exceso de aceite. Sírvalos caliente.

Normalmente, yo preparo los pastelillos de antemano y los congelo en bolsas de sellar al vacío. Las bolsas de sellar al vacío evitan las quemaduras por congelación. Use bolsas regulares de congelar si no tiene la máquina de sellar. Para congelar los pastelillos, póngalos sobre una bandeja de hornear forrada con papel parafinado en el congelador. Cuando estén congelados (aproximadamente 1 hora) ponga 4 pastelillos en una bolsa de sellar, colocando papel parafinado entre cada pastelillo. Selle cada bolsa con el sellador al vacío y colóquela en el congelador para uso futuro. El papel parafinado ayuda a que los pastelillos no se peguen cuando se saquen de las bolsas para descongelarlos. La masa se puede comprar preparada y precortada en las tiendas latinas.

20 pastelillos

Ajíes Picantes del Comerciante Local

RELLENOS DE PAPA
(Stuffed Mashed Potatoes)

Todos los años muchos pueblos en Puerto Rico celebran las fiestas patronales. Frituras (como bacalaítos, pastelillos, rellenos de papa, etc.) se venden en los kioskos ubicados alrededor de la Plaza de Recreo. En las fiestas patronales uno goza con la música, el gentío, las comidas, las bebidas y si tiene suerte, encontrará su futuro esposa o esposo. Yo no tuve esa suerte, pero disfrutaba de las comidas y la música.

Masa de Papa:

12 tazas de **agua**
1½ cucharaditas de **sal** (baja en sodio) o a su gusto
3 libras de **papas medianas** (russet), mondadas
3 **dientes de ajo**, pelados y molidos
⅓ taza de **leche descremada**

1 cucharada de **maicena**
⅛ cucharadita de **pimienta**
2 cucharadas de **margarina** (hecha con **aceite de oliva extra virgen**)

Relleno:

1 libra de **carne molida de pavo**
1 cucharada de **aceite de oliva extra virgen**
½ cucharadita de **sal** (baja en sodio) o a su gusto
1 sobre de sazón con **culantro y achiote** (véase página 14)

3 **dientes de ajo**, pelados y molidos
2 cucharadas de **salsa de tomate**
2 cucharadas de **sofrito**, (véase página 19)
6 **aceitunas rellenas con pimientos**, picaditas

2 tazas **aceite de canola** para freír
Maicena para manejar las papas majadas

2 **huevos** grandes

PASO 1   **Masa de Papa:** En una olla de 4 cuartillos, ponga a hervir 12 tazas de agua. Agregue la sal. Corte las papas por la mitad y lávelas. Eche las papas en el agua hirviendo. Tape la olla y cueza por 20 minutos a fuego moderado o hasta que las papas estén blandas. Saque las papas de la olla y póngalas en un recipiente grande. Májelas con un majador de papas. Añada el resto de los ingredientes y bata vigorosamente con una cuchara de madera hasta que todo quede bien mezclado. Deje reposar para enfriarse.

PASO 2   **Relleno:** En una olla de 3 cuartillos, coloque la carne molida de pavo con 1 cucharada de aceite. Cueza la carne a fuego bajo por 15 minutos, moviéndola ocasionalmente. Agregue el resto de los ingredientes y mezcle bien. Cubra la olla con una tapa y cueza a fuego lento por 15 minutos o hasta que se cocine bien la carne.

PASO 3   Mida ½ taza de la mezcla de papa y póngala en un recipiente. Haga un hueco de 2 pulgadas en el centro de la mezcla de papa. Coloque 1 cucharada llena del relleno en el hueco. Con los dedos, extienda los lados de la mezcla de papa hacia el centro para cubrir el relleno. Cubra bastante bien las manos con maicena. Levante cuidadosamente con las manos el relleno de papa del recipiente y dele forma de bola redonda. Coloque el relleno de papa sobre papel parafinado enharinado levemente con maicena. Repita el proceso para cada relleno de papa. Véase las ilustraciones en las páginas 90 y 91.

PASO 4   En un sartén de 12 pulgadas, caliente 2 tazas de aceite a 365°F o use un "deep fryer" (léase las instrucciones del fabricante). En un recipiente grande, bata los huevos con un tenedor. Pinte los rellenos de papa con la mezcla de huevo, cubriéndolos completamente. Fríalos inmediatamente hasta que queden dorados y colóquelos sobre un plato cubierto con papel toalla absorbente para eliminar el exceso de aceite. Sírvalos caliente.

12 rellenos de papa

CÓMO HACER LOS RELLENOS DE PAPA

PASO 1   Coloque 1 cucharada llena del relleno en el hueco.

PASO 2   Con los dedos, extienda los lados de la mezcla de papa hacia el centro para cubrir el relleno.

PASO 3   Dele forma de bola redonda con las manos.

BUDÍN DE PAN
(Bread Pudding)

Este postre es muy fácil de preparar. Normalmente se hace con pan viejo y sin la corteza. Yo preparo el budín con 100% de pan integral y con la corteza. La textura no es igual a nuestro típico budín de pan, pero es una versión más saludable y tiene los mismos sabores.

10 rebanadas de **pan 100% integral**
1¼ tazas de **leche descremada**
¾ taza de **azúcar**
½ cucharadita de **sal** (baja en sodio) o a su gusto
1 cucharada de **vainilla**
1 cucharadita de **canela en polvo**

½ taza de **pasas** sin semillas
2 **huevos** grandes
½ taza de **aceite de canola**

Margarina (hecha con **aceite de oliva extra virgen**)
    para engrasar el molde

MÉTODO

PASO 1   Precaliente el horno a 350°F.

PASO 2   Ponga el pan en un recipiente grande y desmenúcelo en pedazos pequeños con las manos. Agregue la leche, el azúcar, la sal, la vainilla, la canela, las pasas, los huevos y el aceite. Mezcle con una cuchara de madera hasta que la masa quede suave. Mientra más se mezcle la masa, el budín le queda más denso - como tradicionalmente se prepara. A mi me gusta el budín (véase foto) que tenga una consistencia de bizcocho.

PASO 3   Engrase un molde rectangular (9" x 4" x 2½") con margarina hecha con aceite de oliva extra virgen. Vierta la mezcla de pan en el molde. Hornéelo por 1 hora. Pruebe si está listo poniendo un palillo de diente en el centro, si sale limpio ya está listo.

8 porciones

TEMBLEQUE
(Coconut Pudding)

Cuando se trata de la cocina, mi mamá, Genoveva, no limita su habilidad culinaria sólo a cocinar comida puertorriqueña. Ella prepara toda clase de postres de distintas culturas. A mi mamá le gusta cocinar mucho y me enseñó a cocinar desde los 12 años de edad y hoy le estoy muy agradecida. Ella solamente me enseñó a cocinar para que yo pudiera preparar la comida a mi futuro esposo. Ella no sabía que el matrimonio no era mi prioridad. Por lo tanto, el cocinar ha sido uno de mis mejores pasatiempos.

INGREDIENTES

2 latas (13.5 onzas cada una) de **leche de coco**
¾ taza de **agua** fría
½ taza de **maicena**
⅔ taza de **azúcar**

½ cucharadita de **sal** (baja en sodio) o a su gusto
1 cucharadita de **vainilla**

Canela en polvo, espolvorear a gusto

MÉTODO

PASO 1 En un envase, mezcle la leche de coco y el agua con un batidor de mano (whisk). Añada la maicena. Usando el batidor de mano (whisk), mezcle bien la maicena hasta que se disuelva por completo en la leche de coco. Vierta la mezcla de leche de coco en una olla de 3 cuartillos a fuego moderado alto. Agregue el azúcar, la sal y la vainilla. Con una cuchara de madera, muévalo frecuentemente hasta que la mezcla de leche de coco empiece a espesar, aproximadamente 3 - 4 minutos.

PASO 2 Reduzca a fuego lento y continúe moviéndolo hasta que se espese, aproximadamente 8 - 12 minutos. Retire la olla del fuego.

PASO 3 Viértalo sobre un molde rectangular de 8" x 8" x 2". Después que se enfríe un poco, póngalo en la nevera durante la noche. Antes de servir, espolvoree por encima con canela en polvo.

8 porciones

FLAN DE QUESO
(Cream Cheese Custard)

Hoy en día encontramos distintas recetas para preparar el flan – con queso, con coco, con piña, etc. Me encanta este flan por su consistencia cremosa y densa. Escribí la receta de este delicioso postre para que sea baja en grasa y calorías. En Puerto Rico, normalmente se hornea el flan en un molde redondo de 9 pulgadas en vez de usar los moldecitos individuales. También, el flan se hornea en baño de María.

INGREDIENTES

1 lata (14 onzas) de **leche condensada azucarada sin grasa**
¾ taza de **agua**

3 **huevos** grandes
2 **yemas**
1 paquete (8 onzas) de **queso crema bajo en grasa**

Caramelo:

1 taza de **azúcar**

Molde redondo para hornear de 9 pulgadas

MÉTODO

PASO 1 Precaliente el horno a 350°F.

PASO 2 En un molde redondo para hornear de 9 pulgadas (asegúrese que el molde se puede usar sobre la estufa), agregue 1 taza de azúcar a fuego bajo. Derrita el azúcar hasta que se caramelice por completo y se torne en un color dorado claro. Mueva ocasionalmente. No deje que se queme el azúcar. Con las dos manos (guantes para el horno puesto), mueva el caramelo cuidadosamente, cubriendo el fondo y los lados del molde. Ponga el molde a un lado.

PASO 3 En una licuadora eléctrica, agregue la leche condensada, el agua, los huevos y las yemas. Corte el queso crema en pedazos pequeños. Agréguelo en la licuadora eléctrica. Bata los ingredientes a velocidad baja hasta que se mezclen bien. Vierta la mezcla de flan sobre el molde caramelizado.

PASO 4 Ponga aproximadamente ½ pulgada de agua tibia en otro molde redondo para hornear de tamaño 10" x 1½" o más grande. Coloque el molde con la mezcla de flan sobre el molde con agua. Asegúrase que el agua no se desborde del molde y que el agua no entre en la mezcla del flan. Ponga en el horno por aproximadamente una hora o hasta que el flan quede cocido y cuajado en el centro.

PASO 5 Retire del horno. Cuidadosamente saque el molde con el flan del agua caliente. Deje que se enfríe. Colóquelo en la nevera por lo menos 8 horas o durante la noche. Cuando esté listo para servir, pásele con un cuchillo cuidadosamente por las orillas adentro del molde para despegarlo. Vierta el flan sobre un plato grande.

8 porciones

FLAN DE VAINILLA
(Vanilla Custard)

Nunca supe lo que era el flan hasta que fui a vivir en Puerto Rico. Mi prima, Carmen Noelia, compraba flan en el supermercado hechos en vasitos de aluminio. El flan tenía una textura suave cremosa cubierta con caramelo. Un día decidí colocar un flan en el congelador por dos horas y estaba delicioso. Creía que me estaba comiendo un mantecado con sabor a flan. Me saboreaba mi flan congelado y mi familia se reía de mí. Yo era una persona muy diferente. Por ejemplo, a la edad de 17 años, trabajaba en una refinería en Yabucoa, Puerto Rico. Tenía que viajar en transportación pública para ir al trabajo. Un día le pregunté a mi tío, Agripino, si yo podía comprar una motocicleta. Por poco le da un ataque al corazón. Creo que yo hubiese sido la única mujer conductora de motocicleta en la Isla de Puerto Rico para ese tiempo. El pueblo donde vivía era muy religioso y conservador. Mi tío era tan lindo expresando su opinión - aunque al fin y al cabo su respuesta fue no. Aunque era muy distinta, yo respetaba a los mayores. Por fin, logré obtener mi primera licencia de conductora en Puerto Rico. Mi tío me dejaba usar su carro para ir a estudiar de noche a la universidad.

Volviendo al tema de cocinar, el flan se hornea en baño de María. El flan es un postre cremoso, los huevos y la leche se espesan cuando se cuecen, y se cubre con caramelo. Dependiendo de los ingredientes, algunos flanes tienen una textura cremosa suave mientras que otros tienen una textura densa.

INGREDIENTES

2 latas (16 onzas cada lata) de **leche evaporada, sin grasa**
1½ tazas de **azúcar**

6 **huevos** grandes
1 cucharadita de **extracto de vainilla**

Caramelo:
1 taza de **azúcar**

6 **moldecitos (ramekins)**

MÉTODO

PASO 1   Precaliente el horno a 350°F.

PASO 2   En una olla de 1 cuartillo, agregue 1 taza de azúcar a fuego bajo. Derrita el azúcar hasta que se caramelice por completo y se torne en un color dorado claro. Mueva ocasionalmente. No dejes que se queme el azúcar. Coloque un poco del caramelo en un moldecito y ponga la olla de nuevo encima de la estufa a fuego bajo. Con las dos manos (guantes para el horno puesto), mueva el caramelo cuidadosamente, cubriendo el fondo y una pulgada a los lados del moldecito. Ponga el moldecito a un lado. Repita el proceso hasta que todos los moldecitos estén caramelizados.

PASO 3   En una licuadora eléctrica, agregue la leche evaporada, el azúcar, los huevos y el extracto de vainilla. Bata los ingredientes a velocidad baja hasta que se mezclen bien. Vierta la mezcla sobre los moldecitos caramelizados.

PASO 4   Ponga aproximadamente 1 pulgada de agua tibia en dos moldes de hornear de tamaño 13"x 9"x 2". Coloque los moldecitos en los dos moldes. Asegúrese que el agua no se desborde de los dos moldes y que el agua no entre en la mezcla del flan. Ponga los dos moldes en el horno por aproximadamente una hora o hasta que los flanes queden cocidos y cuajados en el centro.

PASO 5   Retire los moldes del horno y cuidadosamente saque los moldecitos del agua caliente. Deje que se enfríen. Colóquelos en la nevera por lo menos 8 horas o durante la noche. Cuando esté listo para servir, pásele con un cuchillo cuidadosamente por las orillas adentro de los moldecitos para despegarlos. Vierta los moldecitos sobre platillos individuales.

6 porciones

CAFÉ PUERTORRIQUEÑO CON LECHE

(Puerto Rican Coffee with Milk)

Café Puertorriqueño con Leche, Té de Jengibre, Chocolate Caliente y Pasta de Guayaba con Queso

Semanalmente mi tía, Paulita, hacía café bien concentrado (similar al espresso) en la estufa y lo guardaba en un frasco de cristal. Todas las mañanas ella hervía la leche en una olla y le echaba un poquito de café del frasco. Este café era fuerte y rico - definitivamente estaba adicta.

Encontraba el proceso de hacer el café muy interesante. Ella le echaba por lo menos 3 tazas de agua en una olla y le agregaba el café molido puertorriqueño (una cucharada llena por cada taza de agua). Lo ponía a hervir, moviéndolo constantemente. Reducía a fuego lento por unos minutos. De momento sale una tela en forma de cono pegada a un alambre. Se conocía por el nombre de "colador" - que es un colador de café. Ella le echaba la punta del colador en el frasco y colaba el café. Yo esperaba el momento de tener mi taza de café todas las mañanas. El colador se puede comprar en las tiendas latinas.

Una día estábamos visitando a unos padrinos de mi primo en las montañas. Como a mí me gusta la naturaleza, decidí dar una vuelta alrededor de la casa mientras ellos tomaban y comían. Estaba fascinada y contenta de ver la cosecha del café en las ramitas y sorprendida de los distintos colores (rojo, verde y anaranjado).

Déjeme contarles de las montañas en Puerto Rico. Cuando vivía en Puerto Rico, no bailaba ni tomaba mucho las bebidas con licor - aunque me gustaba la música latina. Prefería subir una montaña y gozar de la bella vista tropical de la Isla. Cuando sabía que la recreación de ese día era subir una montaña, preparaba un almuerzo con bastante agua y me llevaba un radio de batería. A la vez que alcanzaba la cima de la montaña, me comía el emparedado y me ponía a oir la música mientras disfrutaba del panorama.

Regresemos a mi receta. No hago café puertorriqueño usando el colador. Hago el café puertorriqueño con una cafetera de espresso. El sabor es exactamente como el café de mi tía. El café molido espresso puertorriqueño se puede comprar en las tiendas latinas.

INGREDIENTES

1 taza preparada de **café espresso puertorriqueño**
1 taza de **leche descremada o leche de 2%**

Azúcar (opcional)

MÉTODO

PASO 1   Prepare el café espresso puertorriqueño de acuerdo con las instrucciones del fabricante para el uso de la cafetera de espresso. En una olla de 1 cuartillo, agregue la leche y póngala a hervir. Añada el café y mueva bien. Deje que hierva de nuevo. Reduzca a fuego lento. Caliente por 2 minutos. Agregue el azúcar a su gusto y mueva. Vierta el café en 2 tazas y disfrútelo.

Si no tiene una cafetera de espresso, agregue una taza de agua y una cucharada llena de café molido puertorriqueño en una olla de 1 cuartillo. Deje que hierva y reduzca a fuego lento por 5 minutos, moviéndolo ocasionalmente. Cuele el café con un colador de tela en otro envase. Sigue las instrucciones del primer paso para combinar el café con la leche.

Ajuste la proporción del café espresso para más fuerte/ralo de acuerdo a su gusto.

2 tazas

TÉ DE JENGIBRE
(Ginger Tea)

En Puerto Rico tomamos mucho té de jengibre. Preparo té de jengibre semanalmente - especialmente cuando el jengibre tiene propiedades medicinales. Después de prepararlo, lo mantengo en la nevera y me tomo una taza de té de jengibre caliente todas las noches. A veces después de calentar el té le echo una cucharadita de miel y una rajita de canela.

Nosotros disfrutamos de nuestras bebidas calientes con pasta de guayaba y queso. La guayaba es una fruta del arbusto pequeño conocido por Psidium Guajava. La fruta de guayaba varía en forma (redonda u ovalada), tamaño (1.6 - 4.7 pulgadas de largo) y color (verde, amarilla y roja morena), dependiendo del tipo de especie. La cáscara de la guayaba puede ser suave o áspera. La pulpa de la guayaba es de color rosada oscura o color crema. La guayaba se puede comer cuando esté madura o se puede utilizar para preparar postres, bebidas, jaleas o mermeladas. Nosotros tuvimos un árbol de guayaba en nuestro patio y mi prima, Carmen Noelia, hacía una pasta de guayaba buenísima. Hoy se puede comprar la pasta de guayaba en las tiendas latinas locales.

INGREDIENTES

10 tazas de **agua**

5 onzas de **jengibre**, mondado y cortado en rebanadas de ¼ pulgada

MÉTODO

PASO 1 En una olla de 3 cuartillos, hierva 10 tazas de agua. Agregue las rebanadas de jengibre, hierva por 3 minutos. Reduzca a fuego lento. Cubra la olla con una tapa y cueza a fuego lento por 40 minutos. Saque las rebanadas de jengibre.

PASO 2 Se puede servir el té de jengibre si lo desea o vierta cuidadosamente el té caliente en un jarro grande plástico. Deje que se enfríe. Cubra el jarro con una tapa y póngalo en la nevera para uso futuro. Véase foto en la página 100.

9½ tazas

CHOCOLATE CALIENTE
(Hot Chocolate)

La temperatura diurna en Puerto Rico durante el año completo se mantiene sobre 80 grados. Sin embargo, los meses entre noviembre y marzo, la temperatura de noche es más fresca. Muchas noches mi tía, Paulita, preparaba chocolate caliente durante la temporada fresca. Ella servía el chocolate caliente con unos pedazos de queso Edam dentro de cada taza. Cuando tomábamos la mitad del chocolate, nos comíamos los pedazos de queso derretidos con una cuchara.

INGREDIENTES

2 barras de **chocolate dulce** (1 onza cada una) para chocolate caliente
1 cucharadita de **agua**

2 tazas de **leche descremada** o **leche de 2%**
2 onzas de **queso Edam**

MÉTODO

PASO 1   Eche en una olla de 1 cuartillo el chocolate dulce y el agua. Póngalo a fuego bajo y muévalo bien con una cuchara de madera hasta que se derrita totalmente el chocolate.

PASO 2   Añada la leche en la olla y muévalo de nuevo hasta que el chocolate se mezcle bien con la leche. Póngalo a hervir por 2 minutos.

PASO 3   Vierta el chocolate caliente en dos tazas. Corte el queso en pedacitos y échelos dentro del chocolate caliente. Véase foto en la página 100.

2 tazas

COQUITO
(Coconut Eggnog)

El coquito es nuestra bebida tradicional en la Época Navideña. En Puerto Rico comenzamos a celebrar las Navidades inmediatamente después del Día de Acción de Gracias hasta el Día de Reyes (el 6 de enero). Hay que tomar en cuenta durante este periodo que pueden ser sorprendidos con una parranda a media noche. Cuando esto pasa, los invitan a entrar a su casa y les sirven entremeses y bebidas. El coquito es una de las bebidas que se sirve en estas ocasiones.

INGREDIENTES

4 yemas de huevos
1½ tazas de **ron blanco de Puerto Rico** o a su gusto
2 latas (15 onzas cada una) de **crema de coco**
2 latas (12 onzas cada una) de **leche evaporada sin grasa**

1 cucharadita de **vainilla**
¼ cucharadita de **polvo de nuez moscada**

2 **envases plásticos** (32 onzas cada uno) con tapa

Polvo de nuez moscada, espolvorear a gusto

MÉTODO

PASO 1 Si su licuadora eléctrica no tiene capacidad para todos los ingredientes, divida cada uno a la mitad. Échelos en la licuadora en dos tandas.

PASO 2 Eche las yemas con el ron en la licuadora eléctrica y bata a velocidad baja por 15 segundos. Agregue el resto de los ingredientes. Bátalos a velocidad baja por 20 segundos para que se mezclen bien y lograr una consistencia cremosa. Vierta la bebida en los envases plásticos. Tápelos y guárdelos en la nevera durante la noche.

PASO 3 Agite bien los envases plásticos para mezclar los ingredientes antes de servir. Como esta bebida es fuerte, es preferible servirla en vasos pequeños. Espolvoree por encima con polvo de nuez moscada. Mantenga en la nevera el coquito que no se consume.

16 porciones de 4 onzas

PIÑA COLADA
(Piña Colada)

La piña colada era la única bebida que tomaba cuando salía con mis amistades a bailar en Puerto Rico. Me gustan las bebidas que tengan sabor a frutas o cremosas.

3 tazas de **jugo de piña**
1½ tazas de **piña** fresca, cortada en trozos de 1 pulgada

1 taza de **crema de coco**
¾ taza de **ron blanco de Puerto Rico** o a su gusto
1 taza de **hielo en cubitos**

MÉTODO

PASO 1 Eche todo los ingredientes en una licuadora eléctrica. Bata a velocidad alta hasta que todo se mezcle bien y tenga una consistencia cremosa, aproximadamente 20 segundos.

PASO 2 Vierta la bebida en copas de cristal. Póngale un pedazo de piña al borde de la copa para decorarla. La piña colada se puede hacer con licor o sin licor. Disfrútela.

8 porciones

Reconocimientos

Quiero darle las gracias a mi madre, Genoveva Lozada, quien ha sido mi modelo ejemplar y a quien amo mucho. Gracias por enseñarme a cocinar a la edad de 12 años. Siempre recordaré que servías comida puertorriqueña y comida americana al mismo tiempo en la mesa. Cuando se trata de la cocina, tú eres bilingüe. Me has motivado a vivir la vida a plenitud y a lograr todos mis anhelos. Te amo Mami.

A mi esposo, Henry McAllister, quien me ha amado sin condiciones y me ha apoyado en todas mis metas. Siempre estaré comprometida contigo por ser una persona tan especial y por permitir que mi familia y amistades se queden en nuestro hogar por cortas o largas estadías. Estoy muy contenta porque te gusta cocinar y porque guardamos muchos recuerdos de nuestras gratas experiencias en la cocina.

Quiero darle las gracias a mi tía, Paulita Velázquez de Lugo, quien siempre ha sido tan buena conmigo y me trató como una hija mientras viví en Puerto Rico. Disfruté observándote hacer la comida por la excelente cocinera que fuiste. Pienso mucho en ti cuando preparo ciertos platos de Puerto Rico, especialmente las tortitas de maíz.

A mis primos, Dr. Agripino Orlando Lugo, Dra. Carmen Noelia Lugo y Profesora Ana Celia Lugo, quienes han sido una inspiración y modelos ejemplares. Quiero darles las gracias por toda su generosidad y por motivarme a estudiar. Gracias por abrirme los ojos al mundo del Caribe y entusiasmarme para que continúe viajando. Siempre los amaré. No puedo creer que sus hijos (que en ocasiones cuidé en Puerto Rico) ahora son doctores en medicina y abogados. Que Dios continúe dándoles bendiciones junto a su familia.

A mi suegra, Bárbara McAllister, que me enseñó distintas clases de comidas de su cultura y amplió mi conocimiento sobre las comidas del Sur. Te doy las gracias por compartir muchas de tus recetas conmigo. Ahora puedo preparar un pastel de melocotón auténtico del Sur. ¡Qué rico! Criaste un hijo bello y te amo.

Para mi editora en español y mi mejor amiga desde la Universidad, Lirsa Pabón. No puedo creer que hace 40 años que somos amigas. Eres como una hermana. Gracias por volar a Indiana (la tercera vez) para editar la versión en español. Trabajamos fuerte, comimos y nos reímos mucho. Siempre apreciaré los años juntas desde nuestra adolescencia hasta la adultez en Puerto Rico. Hemos estado ahí para apoyarnos en todo. Nosotras, las mujeres latinas, hacemos todo con pasión y me gusta mi cultura por eso. Agradezco, también, tu ayuda tomándome los retratos con mi camera de las cosechas que yo te pedí en Puerto Rico. Eres una amiga fiel.

ÍNDICE